KB096654

죽전과 함께하는
아시아지역학의 경영학적 근원

죽전과 함께하는
아시아지역학의 경영학적 근원

대한아시아지역학연구회

서문

아시아지역학의 경영학적 뿌리를 죽전에서 찾다

근래에 국내에서 아시아지역학 관련 연구와 교육은 상당히 활발히 이루어지고 있으며 아시아 국가 중 상위권에 가까운 모습을 보여주고 있습니다. 이러한 상황에서 아시아지역학의 학문적 근원이라고 할 수 있는 경영학적 탐구도 상당히 많은 영역에서 다뤄지고 있습니다.

또한 여러 경영학과에서 아시아지역학을 하나의 하위 학문으로 다루고 있으며 경영학과 아시아지역학의 융합은 4차 산업혁명 시대가 도래한 이후에는 상당한 수준으로 이루어지고 있습니다. 그리고 학부 체제로 운영하는 경우 하나의 하위 전공으로 아시아지역학을 이수할 수 있기도 합니다.

한편 이러한 모습은 아시아지역학은 경영학이라는 하나의 큰 대전제 속에서 이루어지는 것이며 결국 아시아지역학은 경영학의 근원적 접근 없이는 성립될 수 없다는 것을 보여주는 것입니다.

아시아지역학의 이러한 학술적 모습에서 가장 중요한 사례를 보면 수지구 죽전 지역을 살펴볼 수 있습니다. 이 지역은 아시아지역학적 도시 모습에 가장 부합한 지역이며 본 연구회가 둥지를 틀며 상당한 연구 사례를 살펴볼 수 있었던 곳이기도 합니다.

죽전을 통해 아시아지역학의 학술적 모태인 경영학을 살펴보고 또 아시아지역학의 가장 큰 영향을 주었던 죽전을 깊이 있게 살펴보고자 합니다. 아울러 죽전을 넘어 수지구까지 입체적으로 살펴보면서 죽전이 아시아지역학에 미치는 존재감을 이해하고자 합니다.

우리는 새로운 혁신이 죽전에서 창조적으로 일어나고 있음을 각인하고 이러한 죽전의 발전과 변화는 우리에게 새로운 가능성을 보여주고 있음을 이해하고 경영학에서 파생된 아시아지역학이 죽전을 통해서 다시 그 학술적 고향에 다다를 수 있다는 것도 복기하면서 죽전과 아시아지역학의 깊은 관계를 이해할 수 있을 것입니다.

목 차

제 1 장

죽전과 아시아지역학

Ⅰ. 들어가며

세계에는 많은 도시가 있으며 한국에도 많은 도시가 있다. 그러한 도시 중에서 죽전을 선택한 것에 대해서 많은 사람이 의아함을 가질 것이다. 사실 죽전에 대해 잘 알거나 알지 못하더라도 세계의 많은 도시 가운데 어떠한 것이든 죽전을 택한다는 것은 쉽지 않다.

이는 기본적으로 죽전이 급성장한 신생 도시로 그 인지도로 국내외적으로 아직은 부족한 면이 많으며 특히 수도권 도시가 대부분 가지는 서울의 베드타운이라는 오해에 기인한 견해도 이러한 것에 힘을 보탤 것이며 독자의 이해에 방해가 될 수도 있다.

하지만 우리는 여러 도시 중에서 죽전을 선택했다. 이는 기본적으로 죽전이 서문에서 말한 것처럼 아시아 지역학으로 볼 때 가장 적합한 도시이자 훌륭한 도시 경영이 이어지고 있기 때문이다.

물론 죽전도 유토피아로 말할 수는 없으며 모든 부분이 완벽한 도시는 아니다. 그러나 아시아지역학의 고유 뜻을 살피고 그 정신을 고려할 때 오히려 가장 아시아적인 도시가 죽전이며 서구와 다른 고유의 정신을 볼 수 있는 도시이다.

우리는 이러한 결론을 내리고 죽전에 대해 탐색했다. 이 책을 읽는 독자로서는 쉽게 이해하기 어려운 부분이나 반론도 있을 것이다. 하지만 이 책의 끝에서는 죽전에 대해 올바른 인정을 할 수 있을 것으로 자신한다.

II. 아시아지역학적 도시와 그 경영학적 고찰

기본적으로 경영학은 새로운 것을 개발하고 관리하면서 그 대상인 고객의 욕구를 충족시키는 능력과 커뮤니케이션 및 경영분석 능력을 배양하여 어떠한 상황에서도 적응할 수 있는 창의적인 능력이 필요하다.

이러한 것을 기술적으로 하여 세부적으로 정의하면 회계, 재무, 인사, 조직, 생산, 서비스 관리, 마케팅, 정보시스템, 전략, 국제경영 등이 있다.

이러한 기술적 분석 이외에도 그 목표를 살펴보면 4차 산업혁명으로 인해 급변하는 비즈니스 환경에 대한 적응력 및 문제 해결 능력을 강화하고 이러한 기술을 갖춤과 동시에 국제화 감각을 향상하고 창의적이고 주도적인 소양을 갖춘 리더가 될 것임을 강조한다.

이러한 경영학의 변화는 기술의 급속한 발전과 소비자의 급격한 기호 변화 그리고 국제시장에서 경쟁의 심화를 통해 변화하고 그 중요성을 인식하게 하고 있으며 경영학적 운영에 절대적으로 필요한 모든 것들로 학문이 확대되면서 도시 경영에도 지대한 영향을 주고 있다. 또한 그렇기에 아시아지역학을 보려면 경영학을 반드시 깊게 봐야 하는 중요성이 더욱 강조되는 것이다.

아시아지역학의 탄생 과정을 살펴보면 제2차 세계대전 이후 아시아가 서구에 의해 독립하면서 그 학문이 태동하였다. 이는 오랜 기간 서구에 비해 우위에 있거나 최소한 대등하다고 생각한 아시아가 산업혁명 이후 막강한 힘을 바탕으로 아시아를 식민지로 만들거나 경제적 수탈을 일삼았던 충격과 치욕에서 근거한 것이다.

고로 아시아지역학은 서구와 다른 아시아의 가치를 학제적으로 찾지만, 그것이 서구보다 과학적으로 우위에 있고 새로운 논리성을 반드시 갖추어야 하는 것이다. 그렇기에 전근대적인 종교나 사상과는 정확히 반대되는 대척점에 있다.

또한 그것을 탐색하는 과정에서 경영학자들의 공이 컸고 여러 이론적 배경 자체를 경영학에서 가져왔다. 그렇기에 아시아지역학을 이해하려면 경영학을 반드시 이해해야 하고 경영학에 대한 이해가 없다면 아시아지역학을 이해하지 못하는 것과 같다.

그러하면 아시아지역학은 아시아만의 독자적인 경영방식을 모색하는 것을 목적으로 한다고 할 수 있다. 여기서 경영은 협소한 기업 경영이 아니라 학제적 의미에서의 모든 경영과 더불어서 아시아인 개인 차원의 경영까지 포괄하는 몹시 폭넓은 개념이다.

그러한 점에서 아시아의 도시는 이러한 아시아지역학적 입장에서 살펴보려면 그 학문적 과거 배경을 보고 나서야 도시에 대한 색다른 관점에 대해서 올바르고 정확하게 이해할 수 있다.

기본적으로 아시아의 도시는 유럽이나 아메리카 혹은 아프리카, 오세아니아의 도시와 그 개념적으로는 같다. 사실 도시라는 것이 각 지역 혹은 시대에 따라 형식은 달라져도 본질에서는 동일하다. 이는 아시아라고 해서 예외가 아니다.

그렇다면 아시아지역학에서 보는 도시는 서구의 도시와 어떠한 차이점을 볼 수 있는지에 대해 먼저 진지하게 고민해야 한다.

도시는 기본적으로 한 국가에서 가장 첨단을 달리는 곳이며 많은 사람이 모인 총체이다. 이는 기본적으로 도시라는 개념은 같더라도 그 도시가 보이는 문화적 혹은 정신적 모습은 다른 도시와 흡사한 경우는 특별한 상황이 아닌 한 거의 없다.

고로 아시아지역학에서 보는 도시는 아시아의 고유한 정체성을 담은 느낌이 나는 도시이며 서구의 도시를 일방적으로 표절한 것이 아니다.

죽전은 겉으로 보기에는 아시아적 도시라고 보기 어렵다. 이는 대개 아시아 하면 무언가 과거의 것을 떠올리므로 전통시설이 존재해야 한다는 고정 관념에 깊게 입각한 것이다.

하지만 우리가 보는 것은 기본적으로 도시 그 자체에서 느끼는 에너지이지 단순한 외관이나 내부 시설에 관해서는 관심 사항이 아니라고 할 수 있다.

III. 죽전의 도시 철학

죽전은 우리가 위에서 거론한 아시아적 도시 철학이 잘 녹여져 있는 도시이다. 겉으로 보기에는 각자의 지역이 따로 발전하여 하나의 정체성이 없는 듯 보이고 실제로 여러 갈등이 있었지만, 그것을 극복하고 '죽전'이라는 하나의 모습으로 통일하는 과정이 아시아의 역경 극복과 해방과 비슷하다는 의견이 있을 정도이다.

특히 다른 도시는 오랜 역사를 자랑하지만, 죽전은 신생 도시이지만 그 규모가 커지면서 절대 가볍지 않은 영향력을 보이는 점에서 상당히 관심을 받고 있고 특히 작은 도시가 대도시까지 성장하는 모습을 처음부터 끝까지 볼 수 있다는 점에서 독특한 대상이다.

이러한 점에서 죽전은 소울이 있다고 할 수 있다. 한국어로는 영혼으로 표현할 수 있지만 이는 인간으로 협소하게 사용하고 그러한 인식이 있으므로 부득이하게 그 느낌을 살리고자 영어로 소울로 표기하였다. 즉 우리가 소울이라는 단어를 들었을 때의 느낌이 죽전에는 강하고 아름다우면서도 창조적으로 함께하는 것이다.

IV. 아시아지역학과 죽전의 발견

죽전은 세계의 여러 도시에 비해 그 역사가 짧은 신생 도시이지만 그 영향력과 존재감은 결코 작은 도시가 아니다. 이러한 점은 경제적으로 성장하는 것도 있다.

하지만 근본적으로 죽전의 모습을 타자가 인식하게 되는 것은 아시아적 도시 철학이 잘 녹아 있으며 그러한 모습이 아시아지역학과도 부합하기 때문이다.

아시아지역학과 죽전은 이러한 위에서 설명한 배경과 같은 점에서 궁합이 잘 맞고 실제로 죽전 지역 사회에서는 아시아지역학에 관한 관심이 증가하고 주민들도 죽전의 정체성을 만드는 것에 아시아지역학을 경영학적 도구로 사용하기도 한다.

제 2 장

죽전에서 바깥을 바라보다

Ⅰ. 들어가며

우리 연구회는 경기도 용인시 수지구 죽전동과 상당히 깊은 인연이 있다. 죽전에서 둥지를 틀며 여러 연구를 하였고 이러한 성과를 다시 재구성하여 수지구와 용인시 전역에서 적용할 수 있도록 다양한 사례를 지역사회에 꾸준히 제시했다.

이러한 점에서 죽전이라는 공간적 영역 속에서 외부적 실체를 바라보며 우리는 아시아지역학의 근원이 되는 경영학을 곱씹고 그 현실에서의 경영학적 사례를 살펴볼 수가 있었다.

우리는 이러한 관점 속에서 다양한 연구와 토론을 병행했고 그 결과로 나온 작은 결과물을 이 지면을 통해 여러분과 공유하고자 한다.

II. 전문직 교육에 관한 논제

우리 사회에서 전문직이라고 하면 기본적으로 생각나는 것이 의사와 변호사이다. 전자는 의과대학 혹은 의학전문대학원에서 양성되고 후자는 법학전문대학원에서 양성된다. 하지만 의사와 변호사 모두 그 숫자가 부족하여 양성 시설의 증가가 요구되는 상황이다.

이러한 상황에서 전자인 의과대학은 '프리메드(Pre-med)'라는 새로운 개념이 등장한다. 이는 원래 미국과 같이 완전 의학전문대학원 체제인 국가에서 의전원 진학을 위해 받는 교육 트랙의 이름이었다.

하지만 근래의 우리나라에서는 의전원 혹은 해외 의대(해외 의전원 포함) 진학을 위한 예비 학교 개념의 역할로 그 의미가 다소 변하였다. 그러므로 우리가 여기에서 언급하는 프리메드는 한국 사회에서의 의미에 국한하여 설명하는 것이다.

기본적으로 한국 사회에서 프리메드는 해외 의대 진학을 위한 사설 학원 혹은 교습소를 먼저 떠올린다. 하지만 이는 교육법 상 정식 학교가 아니므로 이에 대해서는 추가적으로 논의하지 않도록 하였다. 그러므로 국내 대학에서 프리메드를 하는 사례를 열거하면 대표적으로 숙명여자대학교 생명시스템학부가 존재한다. 알다시피 숙명여대는 의과대학이 없다. 하지만 의전원 혹은 해외 의대를 졸업한 숙명여대 동문이 상당하다.

이는 숙명여대 생명시스템학부에서 의전원 혹은 해외 의대(졸업 후 국내 의사 면허 취득 포함)에 진학하고자 하는 학생들에게 맞춤형 기본 의학 교육을 시행하고 관련 프로그램이 잘 개설되어 있기 때문이다. 이러한 것은 의대가 없어도 실질적인 의사 동문 네트워크를 구성해서 사실상 의대가 있는 효과를 낼 수 있는 것이다.

또한 사실상 의예과 역할을 하는 이러한 프리메드가 더 설치된 학과의 경우 생명보건대학 내 식품생명공학과, 정보융합대학 내 스마트헬스케어학부, 생명·나노과학대학 내 생명시스템과학과, 보건의료과학대학 내 바이오의약학과, 건강보건대학 내 바이오융합학부가 개설된 사례를 볼 수 있다. 이외에 인접한 메디컬 교육에 대해 좀 더 첨언을 하자면 수의과대학의 경우 건국대학교 수의과대학이 1위로 평가받는데 이러한 수의대는 생명공학대학 내 개설된 융합생명공학과를 수의대 판 프리메드로 본다.

한편 후자인 법학전문대학원(로스쿨)을 살펴보면 국내에서 사법시험이 폐지된 이후 유일하게 법조인이 될 수 있는 교육 기관이다. 또한 로스쿨이 설치된 대학은 정부 정책에 따라 법과대학을 폐지하였다.

하지만 로스쿨이 설치되지 않은 대학은 법과대학을 유지하고 있으며 법학사를 취득할 수 있다. 이러한 법과대학 중에서 일부 대학은 위에서 언급한 프리메드처럼 예비 로스쿨 형태로 법과대학 학부 과정을 온전히 유지하고 있다. 대표적으로 동국대학교, 단국대학교, 경상국립대학교, 숙명여자대학교 법과대학이 있다. 또한 이들 대학은 미국 변호사 시험(취득 후 국내 외국법자문사 등록하는 경우 포함)을 준비하기도 하는 등 사실상 로스쿨을 가지고 있는 효과를 내고자 한다. 또한 이러한 법예과형 로스쿨이 더 설치된 경우를 찾아보면 사회과학대학 내 경찰행정학과, 사회과학대학 내 법학과 혹은 법학부, 공공인재대학 내 법학과, 인문사회대학 내 법학과가 개설된 사례가 있다.

이러한 두 사례에서 보듯 전문직 교육은 법령상 면허를 부여할 수 있는 교육을 제공하는 기관이 없더라도 사실상 교육 기관의 노력에 따라서 그것이 있는 것과 동일한 효과를 낼 수 있음을 우리는 알 수 있다.

III. 통일민주당의 역사적 고찰

한국 정치사에서 민주당계 조상의 창시는 1955년에 창당된 민주당으로 본다. 이 민주당은 5.16 군사 반란 이후 일시적으로 모든 정당의 해산을 제외하면 사실상 일관되게 잘 이어진 것을 알 수 있다.

그러나 12.12 군사 반란 이후 신민당이 해산되면서 이러한 민주당계 정당의 역사에 혼란이 발생한다. 물론 신민당을 해산하고 대부분 정치 금지 조치를 받았으나 일부 여권에 호의적인 인사들에 의해 민주한국당이 창당되었고 이것이 신민당의 정통성을 일단 그 상황에서는 계승한 것으로 본다.

이후 민주한국당의 여당 2중대화에 반대한 당원과 정

치 금지 조지를 해금 받은 인사들에 의해 선명 야당인 신한민주당이 창당된다. 이 신한민주당의 창당으로 민주당계 정당의 정통성은 신한민주당으로 넘어간다.

이후 신한민주당이 내각제 파동으로 통일민주당으로 분당한다. 이때의 통일민주당이 민주당계 정당의 정통성을 계승한다. 다만 이후 1987년 대통령 선거 과정에서 김대중과 김영상 두 후보의 단일화가 실패하고 이후 3당 합당으로 통일민주당이 사라지면서 해석상 혼란이 발생한다.

당시 1987년 대통령 선거 정국에서 통일민주당과 평화민주당 중 민주당계 정당의 지지자와 재야 및 학생 운동권의 지지를 보편적으로 받은 것은 평화민주당이다. 고로 민주당계 정당의 정통성과 흐름을 볼 때는 평화민주당이 분당하여 창당된 시점부터는 평화민주당이 그 정통성을 가진다고 보아야 한다.

즉, 통일민주당이 민주당계 정당의 정통성을 가지는 것은 창당 직후부터 평화민주당 창당 직전까지 그 기간만이며 평화민주당 분당 이후에는 사실상 민주당계 정당으로 보지 않아야 한다는 해석도 존재한다.

고로 평화민주당 창당 이전의 통일민주당과 이후의 통일민주당을 분리해서 바라봄으로써 민주당계 정당의 정통성을 바르게 재해석해야 한다.

Ⅳ. 시민의 두 가지 의미

우리가 시민이라고 하면 대개 특정 시에 거주하는 주민을 의미한다. 하지만 정치학에서 시민은 전자의 뜻도 있지만 우리가 설명할 후자의 뜻도 존재한다.

왕국에서 그 구성원은 신민이라고 하지만 공화국에서 그 구성원은 시민이라고 한다. 여기서 시민은 어원은 도시의 주민이지만 의미가 확장되어 주권을 가진 공화국의 구성원으로 해석한다.

그러므로 시민이라고 작성된 단어를 볼 때는 전자와 후자의 의미를 행간으로 잘 살펴서 조심히 해석할 유의점이 있다.

특히 후자의 시민을 해석할 때는 시에 거주하지 않는 주민의 오해와 박탈감을 해소하기 위해 공민이나 다른 보조적 해석을 첨부하여 의미를 잘 주지시키도록 노력해야 한다.

V. 국내 미션스쿨 대학의 성격적 고찰

학교에서 종교 교육을 하는 곳을 미션스쿨이라고 한다. 초등교육과 중등교육에서는 종교 재단이 학교를 소유하여도 대개 그 종교적 교육이 제한받는다. 하지만 대학의 경우 좀 더 재단의 종교 교육 자유성이 높다.

그러한 점에서 국내 미션스쿨 대학의 성격을 살펴보자면 종합대학과 리버럴 아트 칼리지형 대학을 구분해서 봐야 한다.

종합대학의 경우 종교 교육을 하더라도 그것이 학교의 성격을 규명하는 것에는 별다른 영향을 미치지 못한다. 종교가 학교의 특색에 불과하기 때문이다.

하지만 리버럴 아트 칼리지형 대학의 경우 대개 대학원이 있어도 학부 중심 교육을 하며 학교 내부의 정원이 많지 않다. 또한 종교 교육의 농도가 종합대학에 비해 훨씬 강하며 특히 국내에서 기독교 관련 대학의 경우 기독교로서 과학을 해석하고자 하는 성향이 더욱 강해진다는 평이 있다.

이러한 점에서 리버럴 아트 칼리지형 대학의 경우 그 대학은 사실상의 문과 대학이라고 봐야 한다.

즉, 일종의 인문사회형 과학기술원으로 비유할 수 있다. 이는 종교 교육이 강하게 투영되고 실시되는 대학에서는 자연과학적 접근법이나 고찰에 어려움이 있고 종교 교육 특성상 인문사회과학에 가까우므로 그 대학의 성격을 문과 대학으로 규정할 수밖에 없다.

VI. 학벌주의 문제의 재발견

한국 사회에서 학벌주의가 일으키는 문제는 상당히 심각하며 이러한 것에 대해서 사회적으로 여러 개선 방안에 대해서 논의된 바가 있다.

21세기 들어서 서울대 일극주의가 사회 여러 분야에서 완화된 것은 사실이다. 일례로 미학의 경우 홍익대

예술학과도 사실상 미학과로 평가받으며 미학 분야에 많은 진출을 이루어지고 있다.

또한 교수를 재직하는 학교에 동문으로 보는 관점의 재해석이 일어나면서 학교의 집단적 부족주의가 완화되는 것도 긍정적인 신호이다.

하지만 법조계에서는 아직 서울대 법과대학 출신 독점이 상당히 심각하다. 특정 대학이 법조계 안에서 상당한 비율을 차지하는 것은 세계적으로 전례가 없다.

이러한 부분에서 해결할 수 있는 방안을 고민해 본다면 학벌주의를 상당히 완화할 수 있다고 보인다.

Ⅶ. 한국 외교의 재발견

한국 외교의 편협함이 일으키는 문제에 대해 상당히 많은 아쉬움이 지적되는 것은 사실이다. 이러한 부문에 대해서 적극적으로 해소할 방안에 대해서 깊이 있게 논의하고자 한다.

외교 공관에서는 종교에 대한 대표부 설치도 고려해

볼 필요가 있다. 바티칸 시국에 대한 대사관도 사실상의 천주교에 대한 대표부이므로 국제적으로 영향력이 강한 성공회와 정교회 관련 대표부(해당 본부 소재 국가의 영사관 형태)를 만드는 것도 좋을 것이다.

이외에 국제기구로 CONIFA, 사회주의인터내셔널, 자유주의인터내셔널, 중도민주인터내셔널, 해적당인터내셔널, 진보동맹, 진보주의인터내셔널, 상파울루포럼, 자유지상당국제동맹에 정부 혹은 정당 그리고 지역이 가입하는 것도 고려할 가치가 있다.

외교적 관계에 대해서도 살펴보면 폴란드, 네덜란드, 아르메니아, 구호기사단, EFTA와의 외교 관계를 강화해야 한다. 특히 네덜란드는 북유럽협의회와 비셰그라드 그룹에서의 영향력이 강하므로 더욱 주목해야 한다.

또한 경제 외교에서는 몽골, 러시아, 아프리카와 자유무역협정을 추진할 필요성이 있다. 이외에도 세계국가사회주의연합, 공산당-노동자당국제기구와 같이 급진적 이념 성향의 기구와도 최소한의 외교적 대화를 검토할 필요성도 제기된다.

더불어서 IMF 총재도 한국인 혹은 한국계 외국인이

할 수 있도록 하고 내몽골의 독립성 강화에도 기초적인 지원을 할 필요성도 있다.

스포츠 외교적 측면에서는 월드게임과 데플림픽을 유치하고 동계 월드게임 창설에 나서야 한다. 이외에 미식축구와 아이스하키가 국내에서 활성화될 수 있도록 지원할 필요성도 높다.

통일 외교 측면에서는 현재 민족화해범국민협의회를 키워야 하며 여기에 국민의힘과 전국민주노동조합총연맹이 가입할 수 있도록 해야 한다. 또한 국제기구인 월드비전의 영향력 확대도 고민해야 하며 한반도 통일을 지지하는 일본 공산당, 영국 자유민주당과 같은 외국 정당도 깊은 관계를 건설하도록 해야 한다.

VIII. 한민족 문화 성장 방안

한국의 문화적 성장을 위해서는 한민족 문화를 반드시 키워야 할 필요성이 있다. 특히 다문화 시대에 그 동화 방안에 대해서도 심각한 고려가 필요하다.

이를 위해서는 한류로 유명한 국내 인기 아이돌의 외국인 멤버가 한국화될 수 있도록 영주권과 같은 편의를 제공하고 한국계 외국인의 성과에 대해서도 국내에 널리 알려야 한다.

특히 이러한 한국계 외국인 중에서 김용 전 세계은행 총재의 업적을 한국에 널리 알리는 방안에 대해서도 고려해 볼 필요가 있다.

이외에 대만에서 외성인은 국민당 지지자이자 친중, 본성인은 민중당 지지자이자 친일로 여겨졌는데 여기에서 소외된 원주민, 귀화인과 합한족이 민중당 지지자이자 친한으로 결합하고 있다.

이러한 것을 적극 지원하고 대만의 문화적 기초 중 하나로 한국 영향력이 있다는 의견이 나올 정도로 강력한 역사적 교류 관계의 재조명과 문화적 전파 방안을 깊이 숙고해야 한다.

또한 국내 교회와 성당을 비롯한 다양한 종교 시설의 문화재적 가치를 다시 제고하여 기존의 관념을 창조적으로 탈피하여 새로운 문화유산의 창조적 확대를 꾀할 필요성도 추가로 제시할 수 있을 것이다.

IX. 문화적 지리의 재발견

우리가 흔히 생각하는 행정구역은 실제의 생활권과 일치하지 않는 경우가 많다. 이러한 생활권을 대개 문화적 지리라고 부른다.

이러한 사례를 열거해보자면 천안시 성환읍은 사실상 평택시이며 안양시 박달동, 충훈동, 석수동은 서울특별시이고 양산시 웅상지역은 의령군 및 함안군과 상호 깊은 연고 관계가 있다.

이외에 포항시의 포항경주공항은 경주시 생활권이기도 하며 성공회대학교는 부천시와 깊은 연고 관계가 있고 원광대학교는 전주시와 깊은 연고 관계가 있다.

또한 전주시와 익산시는 익산시가 전주시의 배후도시이고 상호 교류가 활발한 점도 있으므로 이러한 문화적 지리에 대해서 잘 이해하고 실제의 생활권에 따른 도시 교류도 추진할 필요가 있다.

X. 알파라이징

알파라이징은 서로 다른 세상이 만나 새로운 가치를 창출하고 세상의 진화를 이끈다는 뜻으로 세계의 혁신적 변화를 집약한 신조어이다.

그 예시로 KTX와 경쟁하는 SRT가 독일 ICE를 참고할 필요가 있다든지 스칸디나비아의 범위에 핀란드를 포함하는 것과 한의학이 중의학을 넘어 세계의 대체의학을 흡수하여 발전할 필요성이 있는 것을 들 수 있다.

또한 위에서 언급한 것 이외에도 아시아와 중동을 분리해서 지리적으로 바라보는 것 마틴 루터 킹 비폭력 평화상과 같은 대안적 평화상을 높이는 것도 그러하다고 할 수 있다.

한편 상식을 바로 세우는 것도 이러한 알파라이징의 하나일 수 있다. 설과 추석에서 유교적 색채를 빼고 보편적 민족 명절로 만들고 일부 연예인 우표는 나만의 우표로 공식 우표가 아니므로 그것에 대한 허위적 의미를 삭제하고 지역 명칭을 사용하는 사립대 중 경남대학교처럼 국립대에 준하는 무게감을 가지면 준 국립대로 인정하는 것과 같은 혁신도 상식의 재정립이자 올바른 알파라이징이다.

제 3 장

바깥에서 죽전을 바라보다

Ⅰ. 들어가며

앞에서 설명한 것처럼 우리 연구회는 경기도 용인시 수지구 죽전동과 상당히 깊은 인연이 있다. 죽전에서 둥지를 틀며 여러 연구를 하였고 이러한 성과를 다시 재구성하여 수지구와 용인시 전역에서 적용할 수 있도록 다양한 사례를 지역 사회에 꾸준히 제시했다.

이러한 점에서 죽전이라는 공간적 영역 속에서 외부적 실체를 바라보며 우리는 아시아지역학의 근원이 되는 경영학을 곱씹고 그 현실에서의 경영학적 사례를 살펴볼 수가 있었다.

우리는 이러한 관점 속에서 다양한 연구와 토론을 병행했고 그 결과로 나온 소기의 결과물을 이 지면을 통해 여러분과 공유하고자 한다.

II. 우리 철학과 고조선

우리의 정신적 고유 철학인 동학을 재정립할 필요가 있다. 그 후신 종교인 천도교, 대종교, 증산교, 원불교 간의 화합과 비불교, 비유교, 비기독교의 국내 고유 철학과의 융합을 통해 하나의 큰 세계관으로 확장할 필요성이 제시된다. 즉 동학은 비불교, 비유교, 비기독교 한국 고유 철학의 종합이라고 정의할 수 있다.

특히 근래의 외국 대학 출신이 서울대 위의 존재로 여겨지는 사회적 풍토가 학벌 완화에는 긍정적이지만 우리 문화적으로는 아쉬운 부분도 많다.

이를 위해서 대학 측면에서도 이원화캠퍼스는 본교에 속한 확장 캠퍼스로 보고 분교는 본교와 별도의 그 소재 지역의 향토 대학으로 기능하면서 그 가운데 각자의 지역 문화를 대학에서 연구하는 기능적 방안도 검토할 필요성이 깊이 제시된다.

지리적인 측면에서 수도권 일극 주의를 타파하여 제2도시인 부산의 역사적 정통성을 다시 살펴보고 안보적 측면까지 고려하여 남부권 종합 발전 계획도 하여 균형적 지리 발전을 도모해야 한다.

한편 북한이 개건한 단군릉도 그 역사적 의미를 새롭게 정립하여 부정적 측면과 긍정적 측면을 균형 잡히게 살펴봐서 고조선을 느끼는 체험의 장으로 쓸 필요성도 상당 부분 있다.

III. 상식을 뒤집는 혁신

우리의 통념적 관념에 자리 잡은 상식을 한 번은 재고할 필요가 있으며 그러한 혁신을 통해 우리 사회의 변화는 앞으로 나아갈 수 있는 것이다.

먼저 근래에 남자 아이돌이 인기 없는 것에 대해서 논하자면 남자 아이돌은 여자 아이돌과 달리 팬덤 중심 경제 구조로 되어 있으므로 대중성을 놓쳐서 대중적 인지도가 상실되었기 때문이다.

또한 오디션 프로그램 조작 문제를 논하자면 그 조작에 대해서 알든 모르든 간에 조작으로 수혜를 입은 데뷔 멤버는 그것에 대한 사과와 피해자의 배상 책임이 반드시 존재하는 것이다. 이는 우리나라에서 장물 취득범에 대한 처벌을 하는는 것을 생각하면 그러하다.

이외에 중국 인명 표기에 있어 신해혁명 이전 인사에 대해서도 중국어로 표기해야 하며 국내 행정구역 중 구의 경우 해당 구가 자치구면 독립된 하나의 도시로 보아야 할 필요성이 있다.

그리고 지구평면설을 축소시키기 위해서는 지구공동설을 대항마로 내세워서 다시 생각하도록 적극적으로 지원해야 한다.

마지막으로 미국의 노턴 1세는 일종의 비주권군주제로 보아야 한다. 이는 미국 대중에게 상당한 영향력을 행사했으므로 주권은 없지만 군주이기 때문이다.

Ⅳ. 여러 가지 견해와 주장

연구회의 개별적 탐구 중에서 토막글을 모아서 하나로 정리해보고자 한다. 이는 하나로 만들기에는 너무 짧아 여러 가지를 엮어보고자 하는 것이다.

먼저 한국의 미래 먹거리로 우주과학을 발전시킬 필요가 있다. 특히 천문학에서 새로운 신성인 단국대, 성균관대를 주목하여 혁신적 발전을 추구해야 한다.

제주 사투리는 하나의 언어로 그 체계를 이룰 수 있도록 제주어를 선포하고 기존의 한국 인공어인 우니시와 결합하여 한자어 및 외래어 단어를 줄어야 한다.

그리스는 아테네의 후손이기도 하지만 스파르타의 후손이며 스파르타 문화를 키워야 그리스의 균형적인 발전이 가능하다는 의견이 근래에 등장한다.

학벌에 있어 고시에서의 서울대 독점을 완화하고 로스쿨 학생 중 서울대 출신 비율을 인위적으로 완화할 필요성이 제기된다.

한편 로스쿨 출신의 경우 의전원처럼 학부가 아닌 출신 로스쿨을 학벌로 내세우고 출신 학부를 가려야 한다는 주장도 제기된다.

용인시가 주요 외국어로 독일어, 몽골어, 러시아어, 프랑스어, 포르투갈어, 이탈리어어를 관심 있게 보고 있으며 국제도시로 천안시, 화성시, 안성시, 평택시와 함께 나아가고자 한다는 의견이 있다.

일부 정치학자들 사이에서 박근혜 전 대통령은 정치학에서의 독재자로 보기 어려우며 1987년 대선은 충청북도에서 김종필 후보가 1위를 하지 못했으므로 어느정도 조작으로 볼 수 있다는 견해도 있다.

코소보와 알바니아는 이슬람 국가로 볼 수 없으며 오히려 기독교 문화권에 깊은 영향을 받았으며 유럽에서는 이슬람 문화권이 사실상 부재하다는 주장이 있다.

아사다 마오는 김연아의 유일한 라이벌이며 마오 선수의 기술에 대해서 다시 재해석하여 한국 피겨의 발전에 자료로 사용하자는 주장도 있다.

용인이 과거 처인성 전투와 같은 역사적 사례 이외에도 경제적, 사회적, 문화적으로 몽골과 깊은 관계와 교류를 하고 있다는 견해도 있다.

세종특별자치시 전의면, 전동면, 소정면, 조치원읍은 사실상 수도권에 포함되며 서울역에서 조치원역까지의 무궁화호는 근래에 GTX가 대두되는 것으로 볼 때 사실상의 수도권 전철 역할을 한다고 봐야 한다는 주장이 상당히 깊게 대두되고 있다.

한남동도 아시아지역학과 깊은 관련 있으며 인도와

몽골의 사례를 경영학과에서 많이 참조하며 아시아지역학에서도 상당한 관심이 있다는 견해가 있다.

글로벌한국어과는 한국어를 중심으로 하여 언어학을 이해하고 다양한 외국어를 다루며 실험장과 같은 언어 교육을 지향하는 경향이 있다는 주장이 있다.

죽전이 바이오문화유산학, 공공관리학, 공공정책학에도 관심이 있으며 아사아지역학이 프리무스적인 관점에서 국제화하는 것을 죽전이 함께하고 있다는 학술적 견해가 용인 일각에서 제시된다.

최근 여성 격투기가 진흥되는 것은 더 이상 격투기와 같은 무술이 남성의 전유물이 아니게 되는 것으로 페미니즘의 확대에 긍정적 도움이 된다는 주장이 있으며 한국에서도 여자 프로레슬링 단체가 설립되고 관련 경기가 열려서 여성의 무술 확대에 도움을 주어야 한다는 견해와 움직임이 대두되고 있다.

국제적으로 대학에서의 F학점에 대해서 학생의 상황에 따라 부득이하게 받았거나 불의의 저항하는 차원에서 받은 것이라면 부정적으로 보지 말고 오히려 그것에 대해서 사실상 없는 것으로 봐야 한다는 견해가 있다.

이외에 학점은행제, 독학학위제의 경우 해당 학위와 동일 혹은 유사한 학위를 추후에 대학에서 전공하여 취득한 경우 그 학위는 없는 것으로 봐야 한다는 주류적 관점이 상당히 존재한다.

이외에 정치적인 부문에서 대한민국 제5대 국회의원 선거처럼 양원제 의회로 구성된 국가에서 양원 모두 직선제 선거로 구성된다면 양원 의석의 합산으로 제1당과 2당 등을 구분해야 한다는 주류적 의견이 있다.

또한 경제적인 부문에서 한국 원화도 특별인출권 대상이 될 수 있도록 국제적으로 의지를 모아야 하며 그 경제적 위상을 높여야 한다는 의견도 있다.

과거사에서는 성균관의 역사에서 조선만 보지 말고 고려의 성균관도 계승한 것으로 보고 신라의 국학, 고구려와 백제의 태학, 발해의 최고교육기관, 고려의 국자감 등을 통합적으로 계승하여 현재까지 오고 있음을 선포하고 이러한 역사를 유교 교육이라는 협소한 틀을 넘어 전통적 최고교육기관의 총합체로 봐야 한다. 또한 당시 성균관은 일본의 개편에 반대하여 재야에서 경성제국대학도 거부하고 독자적인 고등교육을 하였다. 이는 그 당시 특이한 점은 남양 연구가 상당한 수준이었다는 점이며 한국사학에서도 가장 우수했다는 것이다. 이는 현재의 성균관대학교도 그러하다.

한편 우리 역사에서 왕의 아버지가 왕이어야 한다는 관점은 상당하다. 이러한 점에서 왕의 아버지를 대개 추존한 경우가 많다. 그러나 왕의 아버지 혹은 그 선대의 조상 중에서 추존되지 않아 아직 왕이 아닌 경우가 존재하는 데 이를 해소할 필요가 있다.

예컨대 고려의 경우 공양왕의 선조인 왕균, 왕유, 왕분, 왕영, 왕인, 왕서를 모두 추존하여 왕에서 왕으로 왕위가 계승된 것으로 해야 한다.

이외에도 발해의 경우 사료가 많지 않아 잘 알 수 없으나 좀 더 조사하여 왕과 왕 사이에 왕이 아닌 조상을 모두 추존하여 고려의 예와 같이 해야 한다.

또한 삼국시대의 국가를 살펴보면 고구려는 재사, 돌고, 조다를 추존하고 백제는 동성왕과 무왕 사이의 조상을 추존하고 신라는 김알지부터 욱보까지의 조상, 구추, 이매, 골정, 말구, 대서지, 걸숙, 우로 동륜, 용수, 의 흥대왕 선대 중 왕이 아닌 조상, 선성대왕 선대 중 왕이 아닌 조상을 모두 추존하면 대한민국의 국가적 정통성이 바로 설 것이다.

V. 고조선의 역사

고조선은 기원전 2333년에 아사달에 도읍을 지어 생긴 한민족의 첫 국가입니다. 아사달의 위치는 정확히 알 수는 없지만 만주 일대의 한 지역으로 추정하고 있습니다. 국호는 조선으로 하였으나 후대에 이성계에 의해 건국된 조선과 구분하고자 고조선이라고 부르고 있습니다. 또한 군주의 명칭은 단군이라고 불렀습니다.

초대 단군인 왕검은 93년의 재임을 하였다고 알려져 있습니다. 웅녀라고 불린 여인과 혼인하였고 현재의 헌법과 같은 역할을 하는 기본법인 8조법을 제정 및 반포했습니다.

2대 단군 부루는 58년 재임을 했습니다. 왕검의 뒤를 이어 재임하면서 국가의 기반을 세우고 국경을 정비했으며 도량형을 통일하고 세금을 정하였습니다. 3대 단

군 가륵은 45년의 재임을 했으며 4대 단군 오사구는 3
8년을 재임했습니다.

5대 단군 구을은 16년 재임을 했으며 6대 단군 달문은 36년 재임을 했습니다. 7대 단군 한율은 54년 재임을 했고 8대 단군 우서한은 8년 재임을 했습니다.

9대 단군 아술은 35년 재임을 했는데 구월산 남쪽 기슭에 새 궁전을 지었다고 전해집니다. 10대 단군 노을은 59년 재임을 했고 11대 단군 도해는 57년 재임을 했으며 12대 단군 아하는 52년 재임을 했습니다.

13대 단군 흘달은 61년 재임을 했고 넓어진 국토를 관리하기 위해 주와 현을 세웠습니다. 14대 단군 고블은 60년 재임을 했고 하늘의 기우제를 지내고 첫 호구조사를 했습니다.

15대 단군 대음은 51년 재임을 했고 16대 단군 위나는 58년 재임을 했습니다. 17대 단군 여을은 68년 재임을 했고 18대 단군 동엄은 49년 재임을 했습니다.

19대 단군 구모소는 55년 재임을 했고 20대 단군 고홀은 43년 재임을 했습니다. 21대 단군 소태는 52년 재임을 했는데 이 시기에 상나라의 침공으로 전쟁을 해서 승리했다는 기록이 전해집니다.

22대 단군 색불루는 48년 재임을 했고 이 시기에 상나라의 수도를 침공하여 함락했다는 기록이 전해집니다. 23대 단군 아홀은 76년을 재임했고 24대 단군 연나는 11년을 재임했습니다.

25대 단군 솔나는 88년 재임했는데 중국에서는 기자라고 부르기도 했습니다. 이것이 후대에 기자조선으로 날조된 것으로 단군 솔나를 기자로 불린 것 이외에는 날조된 사실입니다.

26대 단군 추로는 65년을 재임했고 27대 단군 두밀은 26년을 재임했습니다. 28대 단군 해모는 28년을 재임했고 29대 단군 마휴는 34년을 재임했습니다.

30대 단군 내휴는 35년을 재임하였는데 상나라가 망하고 생긴 주나라와 수교를 했으며 31대 단군 등올은 25년을 재임했습니다.

32대 단군 추밀은 30년을 재임했고 33대 단군 감물은 24년을 재임했습니다. 34대 단군 오루문은 23년을 재임했고 35대 단군 사벌은 68년을 재임했습니다.

36대 단군은 58년을 재임했고 37대 단군 마물은 56

년을 재임했습니다. 38대 단군 다물은 45년을 재임했고 39대 단군 두홀은 36년을 재임했습니다.

40대 단군 달음은 18년을 재임했고 41대 단군 음차는 20년을 재임했습니다. 42대 단군 을우지는 10년을 재임했고 43대 단군 물리는 36년을 재임했습니다.

44대 단군 구물은 29년을 재임했고 45대 단군 여루는 55년을 재임했습니다. 46대 단군 보을은 46년을 재임했고 47대 단군 고열가가 58년을 재위했습니다.

48대 단군 부가 20년을 재위했고 49대 단군 준이 16년을 재위했는데 당시 동생이던 위만은 중국과 교류를 하면서 적극적인 활동을 했습니다. 이에 준이 왕권을 보호하기 위해 국경 근처로 발령했으나 그 지역에서 세력을 모아 반란을 일으켜서 왕검성을 정복했다고 전해집니다. 이후 위만이 단군에 즉위하고 준은 한반도 남부로 귀양을 가게 됩니다.

제50대 단군 위만은 35년 재임했고 준을 따르는 여러 세력의 반란과 내분에 상당히 어지러운 국정이 이어졌다. 이후 제51대 단군 고해사가 39년 재임했고 제52대 단군 우거가 20년 재임했는데 이 과정에서 위만의 반란 이후 나라의 혼란과 지방 호족의 융성으로 인해 나라가 내분이 일어났고 한나라의 침공으로 왕검성이 함락되어 고조선은 멸망하였다.

그러나 한나라는 고조선 영토 전역을 흡수할 정치적 능력이 부재했기에 일부 영토를 빼앗은 수준이었고 중앙의 왕조가 사라지자 지방의 호족은 제각기 국가를 선포했다. 특히 가장 먼저 선포된 곳은 한나라의 영향이 덜했던 한반도 남부의 삼한으로 이는 단군 준 세력이 남부로 귀양가면서 단군이라는 명칭이 변형되면서 한으로 변했고 이러한 고조선의 국통의 적통계승자라는 의미에서 각자 호족 세력들이 마치 유럽에서 로마를 칭하듯 차용하여 마한, 진한, 변한이 건국되었다.

이외에 부여, 동예, 옥저가 만주와 한반도 북부에서 건국되었고, 중국과 교류가 잦았던 낙랑도 한반도 북부에 건국되었다.

이러한 시기는 열국시대이며 이후 고구려, 백제, 신라로 세력이 정리되는 삼국시대로 접어든다. 변한은 가야로 그 국호와 형태를 바꾸어서 지속되었지만 백제가 강성할 때는 사실상 백제의 제후국이 되고 신라가 강성할 때는 신라의 제후국이 되어 사국시대로는 보지 않는다.

이후 신라에 의한 삼국 통일과 고구려 유민이 발해는 건국하는 남북국시대가 이어지고 신라에서 후고구려와 후백제가 분리되는 발해·후삼국시대가 열린다.

이후 후고구려에서 반란을 일으킨 왕건에 의해 고려가 건국되고 후백제와 신라를 통일하고 발해 유민을 흡수하고 발해 계승을 표방하면서 고려시대가 개국된다.

이후에는 조선시대, 대한제국시대, 일제강점시대, 남북분단시대로 하여 지금의 남북의 분단인 현재 상황으로 역사는 이어진다.

제 4 장

제7공화국 헌법 제안과 논의

Ⅰ. 전문

우리는 3·1운동으로 건립된 대한민국임시정부의 법통과 불의에 항거한 4·19혁명, 부마민주항쟁과 5·18민주화운동, 6·10민주항쟁의 민주이념을 계승하고, 법치주의와 공화주의에 기반한 자유롭고 평등한 민주사회의 실현을 기본 사명으로 삼아, 정의에 기초한 평화롭고 안전한 국가를 지향하며, 모든 사람의 존엄과 자유를 최우선으로 보호하며, 인류애와 생명 존중으로 행복한 공존을 추구하고, 세계 평화에 이바지할 것을 다짐하고, 자율과 조화를 바탕으로 사회정의와 자치·분권을 실현하고, 인간 존중을 사회생활 전반에서 실천하고, 지구생태계와 자연환경의 보호에 힘쓰며, 모든 분야에서 지속가능한 발전을 추구하고, 노동의 존엄성을 인식하며, 기회균등의 원리로 복지국가로 나아가고, 미래세 대에 대한 우리의 책임을 인식하며, 상호 연대하고 더불어사는 세상을 위해 앞으로 나갈 것을 다짐하면서 1948년 7월 12일에 제정되고 10차에 걸쳐 개정된 헌법을 이제 국회의 의결을 거쳐 국민투표에 의하여 개정한다.

II. 본문

제1장 총강

제1조 ① 인간의 존엄성은 소멸되거나 훼손될 수 없으며, 이를 존중하고 보호하며 인권국가를 지향하는 대한민국은 민주공화국이다.

② 대한민국은 인간의 보편적 인권을 인정하고 평화와 정의의 기초가 되는 인권을 확신하며, 인권이 모든 권력 위에 있음을 확인한다.

③ 대한민국의 모든 권력은 인권을 수호해야 하는 것을 기본적 책무로 삼는다.

④ 대한민국의 주권은 국민에게 있고, 모든 권력은 국민으로부터 나오며, 국민을 위하여 행사된다.

⑤ 대한민국은 지방분권국가이다.

⑥ 대한민국은 미래 세대에 대해 책임 있는 태도를 가져야 한다.

⑦ 대한민국은 대한제국의 불법적인 해산에 대해 인정하지 아니하며 대한제국의 국체를 정의롭게 계승하고 임시정부 수립을 통한 대한민국 건국에 따라 대한제국이 해산하고 대한민국으로 승계되었다고 본다.

제2조 ① 대한민국 국민의 자녀는 출생 시에 대한민국 국적을 취득하며, 그 밖에 대한민국 국민이 되는 요건과 절차에 관하여 필요한 사항은 법률로 정한다.

② 국가는 자의적으로 국민의 국적을 박탈하거나 국외로 추방할 수 없다.

③ 국가는 법률로 정하는 바에 따라 재외국민을 보호할 의무를 지며, 구체적인 사항은 법률로 정한다.

④ 한민족을 부 또는 모로 하여 출생한 사람과 그들의 후손은 헌법과 법률로 정하는 바에 따라 대한민국 국적을 취득할 수 있다.

제3조 ① 대한민국의 영역는 한반도와 그 부속도서(附屬島嶼)를 포함하는 영토, 영해, 영공으로 한다.

② 대한민국의 수도(首都)에 관한 사항은 법률로 정한다.

③ 대한민국의 국기는 태극기이다.

④ 대한민국의 국가는 애국가이다.

⑤ 대한민국의 국어는 한국어이다.

제4조 대한민국은 통일을 지향하며, 민주적 기본질서에 입각한 평화적 통일 정책을 수립하고 이를 추진한다.

제5조 ① 대한민국은 국제평화를 유지하기 위하여 노력하고 침략적 전쟁을 인정하지 않는다.

② 국군은 국가의 안전보장과 국토방위의 의무를 수행하는 것을 사명으로 하며, 국제평화 유지를 위해 공헌하며 정치적 중립성을 준수한다.

③ 군인은 대한민국 국민으로서 일반 국민과 동등하게 헌법상 보장된 권리를 가진다.

④ 군인은 재직 중은 물론 퇴직 후에도 군인의 직무상 공정성과 청렴성을 훼손해서는 안 된다.

⑤ 군인은 부당하거나 비인도적인 명령을 거부할 의무가 있다.

제6조 ① 헌법에 따라 체결·공포된 조약과 일반적으로 승인된 국제법규는 국내법과 같은 효력을 가진다.

② 외국인의 지위는 국제법과 조약으로 정하는 바에 따라 보장된다.

제7조 ① 공무원은 국민 전체에게 봉사하며, 국민에 대하여 책임을 진다.

② 공무원의 신분은 법률로 정하는 바에 따라 보장된다.

③ 공무원은 직무를 수행할 때 정치적 중립을 지켜야 한다.

④ 공무원은 재직 중은 물론 퇴직 후에도 공무원의 직무상 공정성과 청렴성을 훼손해서는 안 된다.

제8조 ① 정당은 정치적 자유의 표현이며 국민의 의사 형성 및 표명과 정치적 참여를 위한 기본적인 수단이다. 정당의 설립·조직 및 활동은 자유이며, 복수정당제는 보장된다.

② 정당의 목적·조직과 활동은 민주적이어야 한다.

③ 정당은 법률로 정하는 바에 따라 국가의 보호를 받으며, 국가는 소수자의 보호 등 정당한 목적과 공정 한 기준으로 법률로 정하는 바에 따라 정당운영에 필요한 자금을 보조할 수 있다.

④ 내각은 정당의 목적이나 활동이 민주적 기본질서에 위반될 때에는 대법원에 정당의 해산을 제소할 수 있고, 제소

된 정당은 대법원의 심판에 따라 해산된다.

⑤ 법률에 따라 선거권자 10분의 1 이상의 찬성으로 대법원에 정당의 해산을 제소할 수 있고, 제소된 정당은 대법원의 심판에 따라 해산된다. 단, 해당 정당이 직전 국회의원 선거에서 선거권자 10분의 1 이상의 비례대표 득표를 한 경우 그 수 이상의 찬성을 얻어야 제소할 수 있다.

⑥ 대법원의 심판에 따라 해산되는 정당의 소속 공무원은 그 직을 상실한다.

제9조 국가는 문화의 자율성과 다양성을 증진하고, 전통문화를 창조적으로 계승하기 위하여 노력해야 한다.

제2장 기본적 권리와 의무

제10조 ① 모든 사람은 태어날 때부터 자유롭고 동등한 존엄과 가치를 가지며, 행복을 추구할 권리를 가진다. 국가는 개인이 가지는 불가침의 기본적 인권을 확인하고 보장할 의무를 진다.

② 모든 사람은 자유롭게 행동할 권리를 가진다.

제11조 ① 모든 사람은 법 앞에 평등하다. 누구도 성별·종교·장애·연령·인종·지역·언어·사상·재산·출생·피부색·성적지향·신체적 특성·사회적 신분·고용 형태 또는 기타의 신분을 이유로 정치적·경제적·사회적·문화적 생활을 비롯한 모든 영역에서 차별을 받아서는 안 된다.

② 국가는 실질적 평등을 실현하고, 현존하는 차별을 시정하기 위하여 적극적으로 조치한다.

③ 사회적 특수계급 제도는 인정되지 않으며, 어떠한 형태로도 창설할 수 없다.

④ 훈장을 비롯한 영전(榮典)은 받은 자에게만 효력이 있고, 어떠한 특권도 따르지 않으며 계급창설의 수단으로 사용할 수 없다.

제12조 ① 모든 사람은 생명권을 가지며, 신체와 정신을 온전하게 유지할 권리를 가진다.

② 인간의 생명과 존엄은 최우선적으로 보장되어야 하며, 그 어떠한 것도 인간의 생명과 존엄보다 앞설 수 없다.

③ 모든 사람은 죽음을 강요받지 않는다.

④ 모든 사람은 품위 있게 죽을 권리가 있다.

⑤ 모든 사람은 노예가 될 수 없으며, 인신매매는 어떠한 경우에도 인정되지 않는다.

⑥ 모든 사람의 생명은 우열을 판단할 수 없다.

⑦ 인간복제나 비인도적인 인체실험은 할 수 없다.

⑧ 특정한 인종을 차별하거나 우대할 수 없다.

⑨ 사형제도는 어떠한 경우에도 인정되지 않는다.

제13조 ① 모든 사람은 신체의 자유를 가진다. 누구도 법률에 따르지 않고는 체포·구속·압수·수색 또는 심문을 받지 않으며, 법률과 적법한 절차에 따르지 않고는 처벌·보안처분 또는 강제노역을 받지 않는다.

② 누구나 고문이나 잔혹 행위를 당하지 않으며, 모멸적이거나 비인도적인 처우 또는 처벌을 받지 않는다.

③ 누구나 민·형사상 자기에게 불리한 진술을 강요당하지 않는다.

④ 체포 · 구속이나 압수 · 수색을 하려 할 때에는 적법한 절차에 따라 청구되고 법관이 발부한 영장을 제시해야 한다. 다만, 현행범인인 경우와 장기 5년 이상의 형에 해당하는 죄를 범하고 도피하거나 증거를 없앨 염려가 있는 경우 사후에 영장을 청구할 수 있다.

⑤ 모든 사람은 사법절차에서 변호인의 도움을 받을 권리를 가진다. 체포 또는 구속을 당한 경우에는 즉시 변호인의 도움을 받도록 하여야 한다. 국가는 형사피의자 또는 피고인

이 스스로 변호인을 구할 수 없을 때에는 법률로 정하는 바에 따라 변호인을 선임하여 변호를 받도록 하여야 한다.

⑥ 체포나 구속의 이유, 변호인의 도움을 받을 권리와 자기에게 불리한 진술을 강요당하지 않을 권리가 있음을 고지받지 않고는 누구도 체포나 구속을 당하지 않는다. 체포나 구속을 당한 사람의 가족 등 법률로 정하는 사람에게는 그 이유와 일시 · 장소를 즉시 통지해야 한다.

⑦ 체포나 구속을 당한 사람은 법원에 그 적부(適否)의 심사를 청구할 권리를 가진다.

⑧ 고문 · 폭행 · 협박 · 부당한 장기간의 구속 또는 기망(欺罔), 그 밖의 방법으로 말미암아 자의(自意)로 진술하지 않은 것으로 인정되는 피고인의 자백, 또는 정식 재판에서 자기에게 불리한 유일한 증거가 되는 피고인의 자백은 유죄의 증거로 삼을 수 없으며, 그런 자백을 이유로 처벌할 수도 없다.

⑨ 법률이 정하는 바에 따라 형사피고인이 변호인을 선임하지 못한 경우에는 재판할 수 없다.

제14조 ① 모든 사람은 행위 시의 법률에 따라 범죄를 구성하지 않는 행위로 소추되지 않으며, 동일한 범죄로 거듭 처벌받지 않는다.

② 모든 사람은 소급입법(遡及立法)으로 참정권을 제한받거나 재산권을 박탈당하지 않는다.

③ 모든 사람은 자기의 행위가 아닌 친족·지인의 행위로 불이익한 처우를 받지 않는다.

④ 모든 사람은 박해를 피하여 다른 나라에 비호(庇護)를 구하거나 받을 권리를 가진다.

⑤ 누구든지 고문 또는 잔혹하고 비인도적인 처우나 형벌을 받을 우려가 있는 국가에 송환되거나 인도되지 않는다.

⑥ 누구든지 사형을 받을 우려가 있는 국가에 특별한 사유가 없는 한 송환되거나 인도되지 않는다.

⑦ 국외에서 범죄를 저지른 사람이 제4항과 제5항에 해당한다면 해당 국가에 송환하거나 인도하지 않고 국내에서 처벌한다.

⑧ 국가는 국제법과 법률에 따라 난민을 보호한다.

⑨ 망명권은 관련 국제조약을 존중하여 법률로 정하는 바에 따라 보장되며 대한민국에 망명한 자는 기본적인 헌법상의 가치관에 동의해야 한다.

제15조 ① 모든 사람은 거주·이전의 자유를 가진다.

② 국가는 국민이 원활히 이동하기 위해 교통수단의 편의를 증진해야 한다.

제16조 ① 모든 사람은 직업의 자유를 가진다.

② 직업의 귀천(貴賤)은 인정되지 않는다.

제17조 ① 모든 사람은 사생활의 비밀과 자유를 침해받지 않는다.

② 모든 사람은 주거의 자유를 침해받지 않는다. 주거에 대한 압수나 수색을 하려 할 때는 적법한 절차에 따라 청구되고 법관이 발부한 영장을 제시해야 한다.

③ 모든 사람은 통신의 비밀을 침해받지 않는다.

제18조 ① 모든 사람은 신앙과 양심의 자유 및 종교적·세계관적 신조의 자유를 침해되지 않는다.

② 종교 활동의 자유는 보장된다.

③ 국교는 인정되지 않으며 국가는 특정 종교를 우대할 수 없다.

④ 종교와 정치는 분리된다.

⑤ 모든 사람은 종교적 행위를 하거나 종교에 대한 교육을 받도록 강요되지 않는다.

⑥ 모든 사람은 자신의 양심에 반하여 무력을 사용하도록 강요되지 않는다. 자세한 사항은 법률로 정한다.

제19조 ① 모든 사람의 표현의 자유는 보장되며, 이 에 대한 허가나 검열은 금지된다.

② 언론·출판의 기능을 보장하기 위하여 필요한 사항은 법률로 정한다.

③ 언론·출판은 타인의 권리를 침해해서는 안 된다. 언론·출판이 타인의 권리를 침해한 경우 피해자는 이에 대한 배상·정정을 청구할 수 있다.

제20조 ① 모든 사람은 연대할 권리를 가진다.

② 집회·결사의 자유는 보장되며, 이에 대한 허가는 금지된다.

③ 누구든지 의사에 반하여 집회·결사에 참여하도록 할 수 없다.

④ 국가는 소수자의 보호 등 정당한 목적과 공정한 기준으로 법률로 정하는 바에 따라 단체 운영에 필요한 자금을 보조할 수 있다.

⑤ 단체가 범죄의 목적을 추구하거나 그 수단을 이용한 경우 위법한 것으로 본다.

⑥ 단체는 법률에 따르지 않고는 해산되거나 활동이 정지되지 않는다.

⑦ 전문직 단체의 경우 법률에 따라야 하며 내부 조직 및 운영은 민주적이어야 한다.

⑧ 비밀결사 및 준군사적 성격의 조직은 금지된다.

제21조 ① 모든 사람은 알권리 및 정보접근권을 가진다.

② 모든 사람은 자신에 관한 정보를 보호받고 그 처리에 관하여 통제할 권리를 가진다.

③ 국가는 정보의 독점과 격차로 인한 폐해를 예방하고 시정하기 위하여 노력해야 한다.

④ 모든 사람은 정보문화향유권을 가진다.

⑤ 국가는 국민이 인터넷에 접속할 수 있도록 보장하여야 한다.

제22조 ① 모든 사람은 잊혀질 권리를 가진다.

② 모든 사람은 자신의 정보에 대해 법률이 정하는 바에 따라 삭제를 요구할 수 있다.

제23조 ① 모든 사람은 학문과 예술의 자유를 가진다.

② 대학의 자치는 보장된다.

③ 저작자, 발명가, 과학기술자와 예술가의 권리는 법률로써 보호한다.

④ 모든 사람은 문화생활을 누릴 권리를 가진다.

제24조 ① 모든 사람의 재산권은 보장된다. 그 내용과 한계는 법률로 정한다.

② 재산권은 공공복리에 적합하도록 행사해야 한다.

③ 공공필요에 의한 재산권의 수용·사용 또는 제한 및 그 보상에 관한 사항은 법률로 정하되, 정당한 보상을 해야 한다.

④ 모든 사람은 소비자의 권리를 가진다.

제25조 ① 모든 국민은 선거권을 가진다. 선거권 행사의 요건과 절차 등 구체적인 사항은 법률로 정한다.

② 모든 국민은 자유롭게 선거운동을 할 수 있다. 다만, 정당·후보자 간 공정한 기회를 보장하기 위하여 법률로 제한하는 경우에는 그러하지 아니하다.

③ 모든 국민은 국가에 의한 헌법적 질서의 중대한 위반 및 그 불법적 폐지에 대하여 다른 구제수단이 불가능할 때에는 이에 저항할 권리를 가진다.

제26조 모든 국민은 공무담임권을 가진다. 구체적인 사항은 법률로 정한다.

第27조 ① 모든 사람은 국가기관에 청원할 권리를 가진다. 구체적인 사항은 법률로 정한다.

② 국가는 청원을 수리하고 심사하여 그 결과를 청원인에게 통지하여야 한다.

③ 제1항의 권리를 행사했다는 이유로 어떠한 불이익도 받지 않는다.

④ 모든 사람은 공정하고 적법한 행정을 요구할 권리를 가진다.

第28조 ① 모든 사람은 헌법과 법률에 따라 법원의 재판을 받을 권리를 가진다.

② 모든 사람은 재판을 공정하고 신속하게 받을 권리를 가진다. 형사피고인은 타당한 이유가 없으면 지체 없이 공개재판을 받을 권리를 가진다.

③ 형사피고인은 유죄 판결이 확정될 때까지는 무죄로 추정한다.

④ 국가는 형사피고인이 재판받는 과정에서 유죄로 추정되어 불이익한 처분을 받지 않도록 할 의무를 진다.

⑤ 형사피고인이 유죄 판결이 확정될 때까지 언론·출판은 유죄로 추정하여 보도하거나 저술해서는 안된다.

⑥ 형사피해자는 법률로 정하는 바에 따라 해당 사건의 재판절차에서 진술할 수 있다.

⑦ 국가는 국민이 민사·행정·가사소송을 제기할 금전적 여력이 없으면 법률이 정하는 바에 따라 지원하여야 한다.

⑧ 모든 재판은 법률에 특별한 규정이 없는 한 3인 이상의 배심원단이 구성되어야 할 수 있다.

제29조 ① 국가는 형사피의자 또는 형사피고인으로서 구금되었던 사람이 법률이 정하는 불기소처분이나 무죄판결을 받은 경우 법률로 정하는 바에 따라 정당한 보상을 하여야 한다.

② 국가는 형사피의자 또는 형사피고인으로서 기소된 사람이 무죄판결을 받은 경우 명예를 회복하기 위해 최선을 다해야 한다.

제30조 공무원의 직무상 불법행위로 손해를 입은 국민은 법률로 정하는 바에 따라 국가 또는 공공단체에 정당한 배상을 청구할 수 있다. 이 경우 공무원 자신의 책임은 면제되지 않는다.

제31조 ① 타인의 범죄행위로 인하여 생명·신체 및 정신

적 피해를 받은 국민은 법률로 정하는 바에 따라 국가로부터 구조 및 보호를 받을 권리를 가진다.

② 제1항의 법률은 피해자의 인권을 존중하도록 정하여야 한다.

제32조 ① 모든 사람은 능력과 적성에 따라 균등하게 교육을 받을 권리를 가진다.

② 모든 사람은 보호하는 자녀 또는 아동에게 적어도 초·중등교육과 법률로 정하는 교육을 받게 할 의무를 진다.

③ 의무교육은 무상으로 한다.

④ 교육의 자주성·전문성 및 정치적 중립성은 법률로 정하는 바에 따라 보장된다.

⑤ 국가는 평생교육을 진흥해야 한다.

⑥ 국가는 교육의 평등성을 지향해야 한다.

⑦ 학교교육·평생교육을 포함한 교육 제도와 그 운영, 교육재정, 교원의 지위에 관한 기본 사항은 법률로 정한다.

제33조 ① 모든 사람은 일할 권리를 가지며, 국가는 고용의 안정과 증진을 위한 정책을 시행해야 한다.

② 국가는 완전고용을 지향하며 노동의 신성함을 존중하고 이를 보호하여야 한다.

③ 국가는 적정임금을 보장하기 위하여 노력하며, 법률이 정하는 바에 따라 노동자와 그 가족의 품위 있는 생활을 보장할 수 있는 최저임금제를 시행하며, 동일한 가치의 노동에 대하여는 동일한 임금이 지급될 수 있도록 노력한다.

④ 노동자는 정당한 이유 없는 해고로부터 보호받을 권리를 가진다.

⑤ 노동조건은 노동자와 사용자가 동등한 지위에서 자유의사에 따라 결정하되, 그 기준은 인간의 존엄성을 보장하도록 법률로 정한다.

⑥ 모든 사람은 고용·임금 및 그 밖의 노동조건에서 임신·출산·육아 등으로 부당하게 차별을 받지 않으며, 국가는 이를 위한 정책을 시행해야 한다.

⑦ 사회적 약자의 노동은 특별한 보호를 받는다.

⑧ 국가는 국가유공자·상이군경 및 전몰군경(戰歿軍警)·의사자(義死者)의 유가족이 법률로 정하는 바에 따라 노동의 기회를 부여받을 수 있도록 노력해야 한다.

⑨ 국가는 모든 사람이 일과 생활을 균형 있게 영위할 수 있도록 해야 하며 노동의 안전을 보장하고 시간의 제한을 통한 기본적인 휴가와 유급휴가를 보장하고 휴식시설을 설치하도록 촉진해야 한다.

제34조 ① 노동자는 자주적인 단결권과 단체교섭권을 가진다.

② 노동자는 경제적, 사회적 지위 향상 및 노동조건의 유지·개선을 위하여 단체행동권을 가진다.

③ 노동자는 법률의 정하는 바에 의하여 기업 이익의 분배에 균점할 권리가 있다.

④ 노동자는 법률의 정하는 바에 의하여 기업 경영에 참여할 권리가 있다.

⑤ 노동자는 법률의 정하는 바에 의하여 기업에 청원 하고 정보를 제공받을 권리가 있다.

⑥ 노동조합의 설립·조직 및 활동은 자유롭고 민주적 이어야 한다.

⑦ 국가와 사용자는 노동조합을 탄압하거나 해산할 수 없으며, 운영에 개입할 수 없다.

⑧ 현역 군인과 공무원의 단결권, 단체교섭권과 단체행동권은 법률로 정하는 바에 따라 제한할 수 있다.

⑨ 현역 군인과 공무원은 누구든지 자신이 가입한 노동조합 또는 직능단체를 위한 활동을 이유로 법률이 정 하지 않은 직무상 처분을 받거나 불이익한 대우를 받지 않는다.

제35조 ① 모든 사람은 인간다운 생활을 할 권리를 가진

다. 국가는 법률이 정하는 바에 따라 기본소득에 관한 시책을 강구해야 한다.

② 모든 국민은 장애·질병·노령·실업·빈곤 또는 기타 불가항력의 상황 등으로 초래되는 사회적 위험에서 벗어나 적정한 삶의 질을 유지할 수 있도록 사회보장을 받을 권리를 가진다.

③ 모든 국민은 임신·출산·양육과 관련하여 국가의 지원을 받을 권리를 가진다.

④ 모든 국민은 쾌적하고 안정적인 주거생활을 할 권리를 가진다. 국가는 법률이 정하는 바에 따라 국민이 수긍할 수 있는 주거를 제공해야 한다.

⑤ 모든 국민은 관계 법령에서 정하는 바에 따라 사회보장수급권을 가진다.

⑥ 모든 국민은 건강하게 살 권리를 가진다. 국가는 질병을 예방하고 보건의료 제도를 개선해야 한다.

⑦ 식생활은 사람이 살아가는데 기본적인 행복으로 국가는 다양한 식생활을 존중해야 한다.

⑧ 국가는 법률에 정하지 않는다면 특정 의복 착용을 강요할 수 없다.

제36조 ① 어린이와 청소년은 독립된 인격주체로서 존중

과 보호를 받을 권리가 있으며, 어린이와 청소년에 대한 모든 공적·사적 조치는 어린이와 청소년의 이익을 우선적으로 고려해야 한다.

② 어린이와 청소년은 자유롭게 의사를 표현하며, 자신에게 영향을 주는 결정에 참여할 권리를 가진다.

③ 어린이와 청소년은 차별받지 아니하며, 부모와 가족 그리고 사회공동체 및 국가의 보살핌을 받을 권리를 가진다.

④ 어린이와 청소년은 모든 형태의 학대와 방임, 폭력과 착취로부터 보호받으며 적절한 휴식과 여가를 누릴 권리를 가진다.

⑤ 노인은 존엄한 삶을 누리고 정치적·경제적·사회적·문화적 생활에 참여할 권리를 가진다.

⑥ 장애인은 존엄하고 자립적인 삶을 누리며, 모든 영역에서 동등한 기회를 얻고 참여할 권리를 가진다.

⑦ 국가는 장애를 가진 사람에게 법률에 따라 자신이 가진 능력을 최대한으로 개발하고 경제활동이 가능하도록 적극적으로 지원해야 한다.

⑧ 국가는 장애를 가진 사람들의 사회적 통합을 추구하며 사회참여를 보장하여야 한다.

⑨ 국가는 고용, 노동, 복지, 재정 등 모든 영역에서 성평등을 보장해야 한다.

제37조 ① 모든 사람은 안전할 권리를 가진다.

② 모든 사람은 안전한 사회를 만들기 위해 참여할 권리를 가진다.

③ 모든 사람은 재난을 초래한 환경과 이유를 포함한 진실에 대해 알권리를 가진다.

④ 재난으로 인해 손해를 입은 사람은 보호받을 권리 가 있으며, 국가는 법률이 정하는 바에 따라 사과와 배상을 받을 수 있도록 지원해야 한다.

⑤ 누구든지 재난으로 생명을 잃은 사람을 충분히 애도할 권리를 가지며, 손해를 입은 사람의 아픔에 동참하고 정의를 위해 행동할 권리를 가진다.

⑥ 국가와 국민은 재난 및 모든 형태의 폭력에 의한 피해를 예방하고, 그 위험으로부터 사람을 보호해야 한다.

⑦ 국가는 모든 역량을 동원하여 재난에 처한 사람을 구조하고 이들의 안전을 확보하기 위해 최선을 다해야 하며, 구조에 있어서 그 어떤 차별도 있어서는 안 된다.

⑧ 국가는 필요할 경우 법률이 정하는 바에 따라 재난이 해결되는 전 과정을 기록해야 한다.

⑨ 국가는 유사한 재난이 반복되지 않도록 노력해야 한다.

제38조 ① 모든 사람은 건강하고 쾌적한 환경에서 생활할 권리를 가진다. 구체적인 내용은 법률로 정한다.

② 국가는 모든 생명체의 소중함을 인식하고 필요한 보호 정책을 시행해야 한다.

③ 국가는 기후변화에 대처하고, 에너지의 생산과 소비의 정의를 위해 노력하여야 한다.

④ 국가는 지구생태계와 미래세대에 대한 책임을 지고, 환경을 지속가능하게 보전하여야 한다.

⑤ 모든 국민은 자연을 보호해야 할 의무가 있다.

제39조 ① 혼인과 가족생활은 개인의 존엄과 평등을 바탕으로 성립되고 유지되어야 하며, 국가는 이를 보장 한다.

② 혼인과 가족생활의 형태에 따라 차별할 수 없다.

③ 누구든지 혼인하거나 하지 않을 것을 강요받지 않는다.

④ 혼인이 가능한 연령은 법률로 정한다.

⑤ 근친혼은 인정되지 아니한다.

⑥ 중혼은 인정되지 아니한다.

⑦ 인간 이외의 대상과는 혼인할 수 없다.

⑧ 인간 이외의 대상과는 가족관계를 구성할 수 없다.

제40조 ① 자유와 권리는 헌법에 구체적으로 열거되지 않

았다는 이유로 경시되지 않는다.

② 모든 자유와 권리는 국가안전보장 혹은 공공복리를 위하여 필요한 경우에만 법률로써 제한할 수 있으며, 제한하는 경우에도 자유와 권리의 본질적인 내용을 침해할 수 없다.

③ 국가안전보장 혹은 공공복리를 위하여 자유와 권리를 제한할 경우 법률에 따라 보상해야 한다.

第41조 ① 모든 사람은 법률로 정하는 바에 따라 납세의 의무를 진다.

② 국가는 납세의 의무를 이행하는 사람이 불이익한 처우를 받지 않도록 하여야 한다.

第42조 ① 모든 국민은 법률로 정하는 바에 따라 국방의 의무를 진다.

② 국가는 국방의 의무를 이행하는 국민의 인권을 보장하기 위한 정책을 시행해야 한다.

③ 국가는 국방의 의무를 이행하는 국민에게 적정한 보상을 하여야 한다.

④ 국가는 국방의 의무를 이행하는 국민이 불이익한 처우를 받지 않도록 하여야 한다.

⑤ 누구든지 양심에 반하여 병역을 강제 받지 아니하고,

법률이 정하는 바에 의하여 대체복무를 할 수 있다.

제3장 대통령

제43조 ① 대통령은 국가를 대표한다.

② 대통령은 국가의 독립과 계속성을 유지하고, 영토를 보존하며, 헌법을 수호할 책임과 의무를 진다.

③ 부통령은 대통령을 보좌한다.

제44조 ① 대통령과 부통령은 국민의 보통 · 평등 · 직접 · 비밀선거에 의하여 선출한다.

② 제1항의 선거에 있어서 최고득표자가 2인 이상인 때에는 국회의 재적의원 과반수가 출석한 공개회의에서 다수표를 얻은 자를 당선자로 한다.

③ 대통령 혹은 부통령 후보자가 한 명이면 그 득표수가 선거권자 총수의 3분의 1 이상이 아니면 당선될 수 없다.

④ 대통령 혹은 부통령으로 선거될 수 있는 사람은 대한민국 태생이고 국회의원의 피선거권이 있어야 한다.

⑤ 대통령과 부통령 선거에 관한 사항은 법률로 정한다.

제45조 ① 대통령 혹은 부통령의 임기가 만료되는 경우 임기만료 70일 전부터 40일 전 사이에 후임자를 선거한다.

② 대통령 혹은 부통령이 궐위(闕位)된 경우 또는 당선자가 사망 하거나 판결, 그 밖의 사유로 그 자격을 상실한 경우 60일 이내에 후임자를 선거한다.

③ 결선투표는 제1항 및 제2항에 따른 첫 선거일부터 14일 이내에 실시한다.

제46조 대통령은 취임에 즈음하여 다음의 선서를 한다.

"나는 헌법을 준수하고 인권을 존중하며 국가를 지키고 국민의 자유와 복리의 증진 및 문화 융성에 노력하여 대통령으로서 맡은 직책을 성실히 수행할 것을 국민 앞에 엄숙히 선서합니다."

제47조 ① 대통령과 부통령의 임기는 4년으로 한다.

② 대통령과 부통령이 궐위된 경우의 후임자는 전임자의 잔임기간만 재임한다.

③ 대통령과 부통령은 1차에 한하여 중임할 수 있다.

제48조 ① 대통령이 궐위되거나 질병·사고 등으로 직무를 수행할 수 없는 경우 부통령, 국회의장, 국무총리, 대법원장

순으로 대행한다.

② 부통령이 궐위되거나 질병·사고 등으로 직무를 수행할 수 없는 경우 국회의장, 국무총리, 대법원장 순으로 대행한다.

③ 대통령 혹은 부통령이 사임하려고 하거나 질병·사고 등으로 직무를 수행할 수 없는 경우 대통령 혹은 부통령은 그 사정을 제1항에 따라 권한대행을 할 사람에게 서면으로 미리 통보해야 한다.

④ 제2항의 서면 통보가 없는 경우 권한대행의 개시 여부에 대한 최종적인 판단은 국무총리가 국무회의의 심의를 거쳐 대법원에 신청하여 그 결정에 따른다.

⑤ 권한대행의 지위는 대통령 혹은 부통령이 복귀 의사를 서면으로 통보한 때에 종료된다. 다만, 복귀한 대통령 혹은 부통령의 직무 수행 가능 여부에 대한 다툼이 있을 때에는 대법원에 신청하여 그 결정에 따른다.

⑥ 제1항에 따라 대통령 혹은 부통령의 권한을 대행하는 사람은 그 직을 유지하는 한 대통령 혹은 부통령 선거에 입후보할 수 없다.

⑦ 대통령 혹은 부통령의 권한대행에 관하여 필요한 사항은 법률로 정한다.

제49조 대통령은 국무회의 의결에 따라 조약을 체결·비준하고, 외교사절을 신임·접수 또는 파견하며, 선전포고와 강화를 한다.

제50조 ① 대통령은 헌법과 법률로 정하는 바에 따라 내각의 조언을 통해 국군을 통수한다.

② 국군의 조직과 편성은 법률로 정한다.

제51조 ① 대통령은 내우외환, 천재지변 또는 중대한 재정, 경제상의 위기에 국가의 안전보장이나 공공의 질서를 유지하기 위하여 긴급한 조치가 필요하고 국회의 집회를 기다릴 여유가 없을 때에만 최소한으로 필요한 재정·경제상의 처분을 하거나 이에 관하여 법률의 효력을 가지는 명령을 국무회의 의결에 따라 발할 수 있다.

② 대통령은 국가의 안위에 관계되는 중대한 교전 상태에서 국가를 보위하기 위하여 긴급한 조치가 필요함 에도 국회의 집회가 불가능한 경우에만 법률의 효력을 가지는 명령을 국무회의 의결에 따라 발할 수 있다.

③ 대통령은 제1항과 제2항의 처분이나 명령을 한 경우 지체 없이 국회에 보고하여 승인을 받아야 한다.

④ 제3항의 승인을 받지 못한 때에는 그 처분이나 명령은

즉시 효력을 상실한다. 이 경우 그 명령에 따라 개정되었거나 폐지되었던 법률은 그 명령이 승인을 받지 못한 때부터 당연히 효력을 회복한다.

⑤ 대통령은 제3항과 제4항의 사유를 지체 없이 공포해야 한다.

제52조 ① 대통령은 전시·사변 또는 이에 준하는 국가 비상사태에 병력으로써 군사상의 필요에 응하거나 공공 의 안녕질서를 유지할 필요가 있을 때에는 법률로 정하는 바와 국무회의 의결에 따라 계엄을 선포할 수 있다.

② 계엄이 선포된 경우 법률로 정하는 바에 따라 영장제도, 언론·출판·집회·결사의 자유, 정부나 법원의 권한에 관하여 특별한 조치를 할 수 있다.

③ 계엄을 선포한 경우 대통령은 지체 없이 국회에 통고해야 한다.

④ 계엄이 선포되면 국회는 즉시 소집되며 이를 방해할 수 없다.

⑤ 국회가 재적의원 과반수의 찬성으로 계엄의 해제를 요구하면 대통령은 계엄을 해제해야 한다.

제53조 ① 대통령은 법률로 정하는 바와 국무회의 의결에

따라 사면·감형 또는 복권을 명할 수 있다.

② 사면을 명하려면 국회의 동의를 받아야 한다.

③ 사면·감형과 복권에 관한 사항은 법률로 정한다.

제54조 대통령은 헌법과 법률의 정하는 바에 따라 공무원의 임면을 확인한다.

제55조 대통령은 법률로 정하는 바와 국무회의 의결에 따라 훈장을 비롯한 영전을 수여한다.

제56조 대통령과 부통령은 헌법과 법률이 정하는 바에 따라 국회에 출석하여 발언하거나 문서로 의견을 표시할 수 있다.

제57조 대통령과 부통령의 국법상 행위는 문서로써 한다.

제58조 대통령과 부통령은 국회의원, 법관, 그 밖에 법률로 정하는 공사(公私)의 직을 겸할 수 없다.

제59조 대통령과 부통령은 내란 또는 외환의 죄를 범한 경우를 제외하고는 재직 중 형사상의 소추를 받지 않는다.

제60조 전직 대통령과 부통령의 신분과 예우에 관한 사항은 법률로 정한다.

제4장 국회

제61조 입법권은 국회에 있다.

제62조 ① 국회는 국민이 보통·평등·직접·비밀선거로 선출한 국회의원으로 구성한다.

② 국회의원의 수는 법률로 정하되, 300명 이상으로 한다.

③ 국회의원의 선거구와 비례대표제, 그 밖에 선거에 관한 사항은 법률로 정한다.

제63조 ① 국회의원의 임기는 4년으로 한다. 단, 국회가 해산된 때에는 그 임기는 해산과 동시에 종료한다.

② 국무총리가 국회해산을 통보할 경우 통보일로부터 40일 후에 국회가 해산된다.

③ 제2항에 따라 선거를 할 경우 통보일로부터 30일 이내에 선거를 해야 한다.

④ 제2항에 따라 선거를 할 경우 국회의원의 임기는 해산된 국회의 잔임기간으로 한다.

⑤ 국회의원의 임기가 100일 이내로 남아있을 경우 국회는 해산되지 않는다.

⑥ 국민은 국회의원을 소환할 수 있다. 소환의 요건과 절차 등 구체적인 사항은 법률로 정한다.

⑦ 국무총리가 국회해산을 통보한 경우 국회는 국무총리의 동의 없이 법률안을 제정하거나 개정할 수 없다.

제64조 국회의원은 법률로 정하는 직(職)을 겸할 수 없다.

제65조 ① 국회의원은 현행범인인 경우를 제외하고는 국회의 동의 없이 체포되거나 구금되지 않는다.

② 국회의원이 체포되거나 구금된 경우 국회의 요구 가 있으면 석방된다.

③ 국회의장은 재적의원 4분의 3 이상의 동의 없이 는 어떠한 경우에도 체포되거나 구금되지 않는다.

제66조 국회의원은 국회에서 직무상 발언하거나 표결한 것에 관하여 국회 밖에서 책임을 지지 않는다.

第67조 ① 국회의원은 청렴해야 할 의무를 진다.

② 국회의원은 국가이익을 우선하여 양심에 따라 직무를 수행한다.

③ 국회의원은 그 지위를 남용하여 국가 · 공공단체 또는 기업체와의 계약이나 그 처분에 따라 재산상의 권리·이익 또는 직위를 취득하거나 타인을 위하여 그 취득을 알선할 수 없다.

第68조 국회는 의장 1명과 부의장 1명을 선출한다.

第69조 국회는 헌법 또는 법률에 특별한 규정이 없으면 재적의원 과반수의 출석과 출석의원 과반수의 찬성으로 의결한다. 가부동수일 때에는 의장이 결정한다.

第70조 ① 국회의 회의는 공개한다. 다만, 출석의원 과반수의 찬성이 있거나 국회의장이 국가의 안전보장을 위하여 필요하다고 인정할 때에는 공개하지 않을 수 있다.

② 공개하지 않은 회의 내용의 공표에 관하여는 법률로 정한다.

第71조 ① 국회의원과 국민은 법률안을 제출할 수 있다.

② 법률안이 지방자치와 관련되는 경우 국회의장은 지방의회에 이를 통보해야 하며, 해당 지방의회는 그 법률안에 대하여 의견을 제시할 수 있다. 구체적인 사항은 법률로 정한다.

③ 국민의 법률안 제출의 요건과 절차 등 구체적인 사항은 법률로 정한다.

第72조 ① 국회에서 의결된 법률안은 내각에 이송된 날부터 10일 이내에 대통령이 공포한다.

② 법률은 특별한 규정이 없으면 공포한 날부터 10일이 지나면 효력이 생긴다.

第73조 ① 국회는 내각을 불신임할 수 있다.

② 제1항에 따라 불신임하려면 국회 재적의원 3분의 1 이상이 발의하고 국회 재적의원 과반수가 찬성해야 한다.

③ 국무총리가 속한 정당의 국회의원은 불신임안을 발의하거나 찬성할 수 없다.

④ 제1항에 따라 불신임안이 발의되면 국무총리가 속한 정당의 국회의원은 불신임안에 반대한 것으로 간주한다.

⑤ 국무총리가 속하지 아니하고 국무부총리나 국무위원이 속한 정당의 국회의원이 불신임안을 발의하거나 찬성하려면

국무부총리나 국무위원을 정당에서 제명하거나 그 직을 사임시켜야 하며 이를 하지 않는 경우 제4항에 따라 반대한 것으로 간주한다.

제74조 ① 국회는 국가의 예산안을 심의하여 예산법률로 확정한다.

② 내각은 회계연도마다 예산안을 편성하여 회계연도 개시 100일 전까지 국회에 제출하고, 국회는 회계연도 개시 30일 전까지 예산법률안을 의결해야 한다.

③ 새로운 회계연도가 개시될 때까지 예산법률이 효력을 발생하지 못한 경우 내각은 예산법률이 효력을 발생할 때까지 다음의 목적을 위한 경비를 전년도 예산법률에 준하여 집행할 수 있다.

1. 헌법이나 법률에 따라 설치한 기관이나 시설의 유 지·운영

2. 법률로 정하는 지출 의무의 실행

3. 이미 예산법률로 승인된 사업의 계속

④ 예산안의 심의와 예산법률안의 의결 등에 필요한 사항은 법률로 정한다.

제75조 ① 한 회계연도를 넘어 계속하여 지출할 필요가

있는 경우 내각은 연한(年限)을 정하여 계속비로서 국회의 의결을 거쳐야 한다.

② 예비비는 총액으로 국회의 의결을 거쳐야 한다. 예비비의 지출은 차기 국회의 승인을 받아야 한다.

제76조 내각은 예산법률을 개정할 필요가 있는 경우 추가경정예산안을 편성하여 국회에 제출할 수 있다.

제77조 국채를 모집하거나 예산법률 외에 국가의 부담이 될 계약을 맺으려면 내각은 미리 국회의 의결을 거쳐야 한다.

제78조 조세의 종목과 세율은 법률로 정한다.

제79조 ① 국회는 다음 조약의 체결·비준에 대한 동의권을 가진다.

1. 상호원조나 안전보장에 관한 조약
2. 중요한 국제조직에 관한 조약
3. 우호통상항해조약
4. 주권의 제약에 관한 조약
5. 강화조약(講和條約)

6. 국가나 국민에게 중대한 재정 부담을 지우는 조약

7. 입법사항에 관한 조약

8. 그 밖에 법률로 정하는 조약

② 국회는 선전포고, 국군의 외국 파견 또는 외국 군대의 대한민국 영역 내 주류(駐留)에 대한 동의권을 가진다.

제80조 ① 국회는 국정을 감사하거나 특정한 국정사 안에 대하여 조사할 수 있으며, 이에 필요한 서류의 제출, 증인의 출석, 증언, 의견의 진술을 요구할 수 있다.

② 국정감사와 국정조사의 절차, 그 밖에 필요한 사 항은 법률로 정한다.

제81조 ① 국무총리, 국무부총리, 국무위원, 정부위원은 국회나 그 위원회에 출석하여 국정 처리 상황을 보고하거나 의견을 진술하고 질문에 응답할 수 있다.

② 국회나 그 위원회에서 요구하면 국무총리, 국무부 총리, 국무위원, 정부위원은 출석하여 답변해야 한다. 다만, 국무총리, 국무부총리, 국무위원이 출석 요구를 받은 경우 국무부총리, 국무위원, 정부위원이 출석·답변하게 할 수 있다.

제82조 ① 국회는 대법원장, 부대법원장, 대법관을 해임할

수 있다.

② 제1항에 따라 해임하려면 국회 재적의원 과반수가 발의하고 국회 재적의원 3분의 2 이상이 찬성해야 한다.

제83조 ① 국회는 법률에 위반되지 않는 범위에서 의사와 내부 규율에 관한 규칙을 제정할 수 있다.

② 국회는 국회의원의 자격을 심사하며, 국회의원을 징계할 수 있다.

③ 국회의원을 제명하려면 국회 재적의원 4분의 3 이상이 찬성해야 한다.

④ 제2항과 제3항의 처분에 대해서는 법원에 제소할 수 없다.

제84조 ① 대통령, 부통령, 기타 법률이 정한 공무원이 직무를 집행하면서 헌법이나 법률을 위반한 경우 국회는 탄핵의 소추를 의결할 수 있다.

② 제1항의 탄핵소추를 하려면 국회 재적의원 3분의 1 이상 또는 국회의원 선거권자 10분의 1 이상의 찬성으로 발의하고 국회 재적의원 과반수가 찬성해야 한다. 다만, 대통령과 부통령에 대한 탄핵소추는 국회 재적의원 과반수 또는 국회의원 선거권자 10분의 2 이상의 찬성으로 발의하고 국

회 재적의원 3분의 2 이상이 찬성해야 한다.

③ 탄핵소추의 의결을 받은 사람은 탄핵심판이 있을 때까지 권한을 행사하지 못한다.

④ 탄핵결정은 공직에서 파면하는 데 그친다. 그러나 파면되더라도 민사상 또는 형사상 책임이 면제되지는 않는다.

제85조 국가의 세입·세출의 결산, 국가·지방정부 및 법률로 정하는 단체의 회계검사, 법률로 정하는 국가·지방정부의 기관 및 공무원의 직무에 관한 감찰을 하기 위하여 국회 산하에 감사원을 둔다.

제86조 ① 감사원은 원장을 포함한 9명의 감사위원으로 구성하며, 감사위원은 국회의장이 임명한다.

② 제1항에 따라 감사위원을 임명하려면 국회 재적의원 과반수가 발의하고 국회 재적의원 3분의 2 이상이 찬성해야 한다.

③ 감사원장과 감사위원의 임기는 4년으로 한다. 다만, 감사위원으로 재직 중인 사람이 감사원장으로 임명되는 경우 그 임기는 감사위원 임기의 남은 기간으로 한다.

④ 감사위원은 정당에 가입하거나 정치에 관여할 수 없다.

⑤ 감사위원을 해임하려면 국회 재적의원 과반수가 발의

하고 국회 재적의원 3분의 2 이상이 찬성해야 한다.

제87조 감사원은 세입 · 세출의 결산을 매년 검사하여 다음 연도 국회에 그 결과를 보고해야 한다.

제88조 ① 감사원은 법률에 위반되지 않는 범위에서 감사에 관한 절차, 감사원의 내부 규율과 감사사무 처리에 관한 규칙을 제정할 수 있다.

② 감사원의 조직, 직무 범위, 감사위원의 자격, 감사 대상 공무원의 범위, 그 밖에 필요한 사항은 법률로 정 한다.

제5장 정부

제1절 내각

제89조 ① 행정권은 국무총리를 수반으로 하는 내각에 있다.

② 국무총리는 국회의원 중에서 국회 재적의원 과반수의 동의를 얻어 선출한다.

③ 국무총리가 사고로 인하여 직무를 수행할 수 없을 때

에는 국무부총리와 법률의 정하는 순서에 따라 국무위원이 그 권한을 대행한다.

④ 국무총리가 국회의원의 직위를 상실할 경우 퇴직 된다.

제90조 ① 국무부총리와 국무위원은 국회의원 중에서 국무총리가 지명하여 대통령이 임명한다.

② 국무부총리는 국정에 관하여 국무총리를 보좌한다.

③ 국무위원은 국무회의의 구성원으로서 국정을 심의 한다.

④ 국무부총리와 국무위원이 국회의원의 직위를 상실할 경우 퇴직된다.

제91조 국무총리는 필요하다고 인정할 경우 국가 안위에 관한 중요 정책을 국민투표에 부칠 수 있다.

제92조 국무총리는 법률에서 구체적으로 범위를 정하여 위임받은 사항과 법률을 집행하는 데 필요한 사항에 관하여 국무총리령을 발(發)할 수 있다.

제93조 국무총리는 헌법과 법률로 정하는 바에 따라 공무원을 임면(任免)한다.

第94條 ① 국무총리는 국회가 내각을 불신임한 경우 국회를 해산할 수 있다.

② 제1항에 따라 국회해산을 결의하지 않는 한 내각은 10일 이내에 총사퇴해야 한다.

③ 국무총리는 국회가 내각을 불신임하지 않으면 국회를 해산할 수 없다.

제2절 국무회의와 국가자치분권회의

第95條 ① 국무회의는 내각의 권한에 속하는 중요한 정책을 심의한다.

② 국무회의는 국무총리와 15명 이상 30명 이하의 국무위원으로 구성한다.

③ 국무총리는 국무회의의 의장이 되고, 국무부총리는 부의장이 된다.

第96條 다음 사항은 국무회의의 심의를 거쳐야 한다.

1. 국정의 기본계획과 내각의 일반 정책

2. 선전(宣戰), 강화, 그 밖에 중요한 대외 정책

3. 헌법 개정안, 국민투표안, 조약안, 국무총리령안

4. 국회해산에 관한 사항

5. 내각 총사퇴에 관한 사항

6. 예산안, 결산, 국유재산 처분의 기본계획, 국가에 부담이 될 계약, 그 밖에 재정에 관한 중요 사항

7. 긴급명령, 긴급재정경제처분 및 명령, 계엄의 선포와 해제

8. 군사에 관한 중요 사항

9. 영전 수여

10. 사면·감형과 복권

11. 행정각부 간의 권한 획정

12. 내각 안의 권한 위임 또는 배정에 관한 기본계획

13. 국정 처리 상황의 평가·분석

14. 행정각부의 중요 정책 수립과 조정

15. 정당 해산의 제소

16. 내각에 제출되거나 회부된 내각 정책에 관계되는 청원의 심사

17. 합동참모의장·각군참모총장·국립대학교총장·대사 기타 법률로 정한 공무원과 국영기업체 관리자의 임명

18. 사립대학교총장직무대행의 임명

19. 사립대학교에 임시 이사 파견 결정

20. 그 밖에 국무총리나 국무위원이 제출한 사항

제97조 ① 중앙정부와 지방정부 간 협력을 추진하고 지방자치와 지방 간 균형 발전에 관련되는 중요 정책을 심의하기 위하여 국가자치분권회의를 둔다.

② 국가자치분권회의는 국무총리, 국무부총리와 지방 행정부의 장으로 구성한다.

③ 국무총리는 국가자치분권회의의 의장이 되고, 국무부총리는 부의장이 된다.

④ 국가자치분권회의의 조직과 운영 등 구체적인 사 항은 법률로 정한다.

제3절 행정각부

제98조 행정각부의 장은 국무총리의 제청으로 대통령이 임명한다.

제99조 국무총리 또는 행정각부의 장은 소관 사무에 관하여 법률이나 국무총리령의 위임 또는 직권으로 총리령 또는 부령을 발할 수 있다.

제100조 행정각부의 설치·조직과 직무 범위는 법률로 정

한다.

제6장 법원

제101조 ① 사법권은 법관으로 구성된 법원에 있다. 국민은 법률로 정하는 바에 따라 배심원 또는 그 밖의 방법으로 재판에 참여할 수 있다.

② 법원은 최고법원인 대법원과 지방법원으로 조직한다.

③ 법관의 자격은 법률로 정한다.

④ 모든 법관은 임용시 국회의 동의를 받아야 한다.

⑤ 법관은 법률에 따라 선거할 수 있다.

제102조 ① 대법원에 일반재판부와 전문재판부를 둘 수 있다.

② 대법원에 대법관을 둔다. 다만, 법률로 정하는 바에 따라 대법관이 아닌 법관을 둘 수 있다.

③ 대법원과 지방법원의 조직은 법률로 정한다.

제103조 법관은 헌법과 법률에 의하여 그 양심에 따라 독립하여 공정하게 심판한다.

제104조 ① 대법원장, 부대법원장, 대법관은 법관인 자 중에서 국회 재적의원 3분의 2 이상의 동의를 얻어 선출한다.

② 제1항의 관하여 필요한 사항은 법률로써 정한다.

제105조 ① 대법원장의 임기는 4년으로 하며, 연임할 수 없다.

② 부대법원장과 대법관의 임기는 4년으로 하며, 연임할 수 있다.

③ 대법원장, 부대법원장, 대법관이 궐위된 경우의 후임자는 전임자의 잔임기간 동안 재임한다.

④ 법관의 정년은 법률로 정한다.

제106조 ① 법관은 국회 혹은 지방의회의 의결을 통한 해임 혹은 국민 심사에서 의하거나 금고 이상의 형을 선고받지 않고는 파면되지 않으며, 징계처분에 의하지 않고는 해임, 정직, 감봉, 그 밖의 불리한 처분을 받지 않는다.

② 법관이 중대한 심신상의 장해로 직무를 수행할 수 없을 때는 법률로 정하는 바에 따라 퇴직하게 할 수 있다.

③ 국민은 법관을 소환할 수 있다. 소환의 요건과 절차 등 구체적인 사항은 법률로 정한다.

④ 제3항에 따라 소환을 받은 법관은 결과를 공표할 때까지 권한을 행사하지 못한다.

⑤ 대법원장, 부대법원장, 대법관은 임명 후 처음으로 행해지는 지방선거 때 국민의 심사를 부친다.

⑥ 국민의 심사에 부쳐진 법관에 대해 투표자의 3분의 2 이상이 법관의 파면을 찬성하는 경우 그 법관은 파면된다.

제107조 ① 법률이 헌법에 위반되는지가 재판의 전제가 된 경우 법원은 대법원에 제청하여 그 심판에 따라 재판한다.

② 제1항의 심판에 대해 법원은 대법원에 의견을 제출할 수 있다.

③ 명령 · 규칙 · 조례 또는 자치규칙이 헌법이나 법률에 위반되는지가 재판의 전제가 된 경우 대법원은 이를 최종적으로 심사할 권한을 가진다.

④ 재판의 전심절차로서 행정심판을 할 수 있다. 행정심판의 절차는 법률로 정하되, 사법절차가 준용되어야 한다.

제108조 대법원은 법률에 위반되지 않는 범위에서 소송에 관한 절차, 법원의 내부 규율과 사무 처리에 관한 규칙을 제

정할 수 있다.

제109조 재판의 심리와 판결은 공개한다. 다만, 심리는 인권을 침해할 염려가 있거나 국가의 안전보장을 위협할 때는 법원의 결정으로 공개하지 않을 수 있다.

제110조 ① 대법원이 관장하는 다음 사안에 대해서는 대법관 3분의 2 이상의 찬성으로 결정한다.

1. 법원의 제청에 의한 법률의 위헌 여부 심판
2. 탄핵의 심판
3. 정당의 해산 심판
4. 국가기관 상호 간, 국가기관과 지방정부 간, 지방정부 상호 간의 권한쟁의에 관한 심판
5. 법률로 정하는 헌법소원에 관한 심판
6. 대통령 권한대행의 개시 또는 대통령의 직무 수행 가능 여부에 관한 심판
7. 그 밖에 법률로 정하는 사항에 관한 심판

제111조 ① 대법원 산하에 선거위원회를 두며 다음 사항을 관장한다.

1. 국가와 지방정부의 선거에 관한 사무

2. 국민발안, 국민투표, 국민소환의 관리

3. 정당과 정치자금에 관한 사무

4. 주민발안, 주민투표, 주민소환의 관리

5. 그 밖에 법률로 정하는 사무

② 선거위원회는 대법원에서 임명하는 9명의 위원으로 구성한다. 위원장은 위원 중에서 호선한다.

③ 제2항에 따라 대법원에서 위원을 임명하려면 국회 재적의원 3분의 2 이상의 동의를 얻어야 한다.

제112조 ① 선거위원회는 법률에 위반되지 않는 범위에서 소관 사무의 처리와 내부 규율에 관한 규칙을 제정할 수 있다.

② 선거위원회의 조직, 직무 범위, 그 밖에 필요한 사항은 법률로 정한다.

제113조 ① 선거위원회는 선거인명부의 작성 등 선거 사무와 국민투표 사무에 관하여 관계 행정기관에 필요한 지시를 할 수 있다.

② 제1항의 지시를 받은 행정기관은 지시에 따라야 한다.

제114조 ① 누구나 자유롭게 선거운동을 할 수 있다. 다

만, 후보자 간 공정한 기회를 보장하기 위하여 필요 한 경우에만 법률로써 제한할 수 있다.

② 선거에 관한 경비는 법률로 정하는 경우를 제외하고는 정당이나 후보자에게 부담시킬 수 없다.

③ 선거운동에 드는 경비는 법률로 정하는 바에 따라 후보자에게 지원해야 한다.

제10장 지방자치

제115조 ① 지방정부의 자치권은 주민에 속한다. 주민은 자치권을 직접 또는 지방정부를 통해 행사한다.

② 지방정부의 종류와 구역 등 지방정부에 관한 주요 사항은 법률로 정한다.

③ 주민발안, 주민투표 및 주민소환에 관하여 그 대상, 요건 등 기본적인 사항은 법률로 정하고, 구체적인 내용은 조례로 정한다.

④ 국가와 지방정부 간, 지방정부 상호 간 사무의 배분은 주민에게 가까운 지방정부가 우선한다는 원칙에 따라 법률로 정한다.

제116조 ① 지방정부에 주민이 보통·평등·직접·비밀 선거로 구성하는 지방의회와 법률에 따라 구성하는 지방법원을 둔다.

② 지방정부의 조직과 운영에 관한 기본적인 사항은 법률로 정하고, 구체적인 내용은 조례로 정한다.

③ 지방행정부의 장은 법률 또는 조례를 집행하기 위하여 필요한 사항과 법률 또는 조례에서 구체적으로 범위를 정하여 위임받은 사항에 관하여 자치규칙을 정할 수 있다.

④ 지방법원의 장은 법률 또는 조례를 집행하기 위하여 필요한 사항과 법률 또는 조례에서 구체적으로 범위를 정하여 위임받은 사항에 관하여 자치규칙을 정할 수 있다.

제117조 ① 지방의회는 법률에 위반되지 않는 범위에 서 주민의 자치와 복리에 필요한 사항에 관하여 조례를 제정할 수 있다.

② 지방의회는 국회에 법률 제정을 건의할 수 있다.

③ 지방의회는 지방법원의 장을 해임할 수 있다.

④ 제3항에 따라 해임하려면 지방의회 재적의원 과반수가 발의하고 지방의회 재적의원 3분의 2 이상이 찬성해야 한다.

제118조 ① 지방정부는 자치사무의 수행에 필요한 경비를

스스로 부담한다. 국가 또는 다른 지방정부가 위임한 사무를 집행하는 경우 그 비용은 위임하는 국가 또는 다른 지방정부가 부담한다.

② 지방의회는 법률에 위반되지 않는 범위에서 자치 세의 종목과 세율, 징수 방법 등에 관한 조례를 제정할 수 있다.

③ 조세로 조성된 재원은 국가와 지방정부의 사무 부담 범위에 부합하게 배분해야 한다.

④ 국가와 지방정부 간, 지방정부 상호 간에 법률로 정하는 바에 따라 적정한 재정조정을 시행한다.

제11장 경제

제119조 ① 대한민국의 경제질서는 모든 국민에게 인간으로서 존엄과 가치를 보장할 수 있도록 균형있는 국민경제의 발전을 기함을 기본으로 삼는다.

② 국가는 경제의 성장 및 안정과 적정한 소득의 분배를 유지하고, 시장의 지배와 경제력의 집중과 남용을 방지하며, 여러 경제주체의 참여, 상생 및 협력이 이루어지도록 경제에 관한 규제와 조정을 하여야 한다.

③ 개인과 기업의 경제상의 자유와 창의는 사회정의의 한

도 내에서 보장된다.

④ 국가는 경제적으로 어려운 계층의 경제력 발전을 위해 노력해야 한다.

⑤ 국가는 지방 간의 균형 있는 발전을 위하여 지방 공유 자산을 유지, 발전시키며 지방경제를 육성할 의무를 진다.

제120조 ① 국가는 국토와 자원을 보호해야 하며, 지속가능하고 균형 있는 이용·개발과 보전을 위하여 필요한 계획을 수립·시행한다.

② 자연자원은 모든 국민의 공동자산으로서 국가의 보호를 받으며, 국가는 지속가능한 개발과 이용을 위하여 필요한 계획을 수립하고 이를 달성하기 위하여 노력한다.

③ 광물을 비롯한 중요한 지하자원, 해양수산자원, 산림자원, 수력과 풍력 등 경제적으로 이용할 수 있는 자연력은 법률로 정하는 바에 따라 국가가 일정 기간 채취·개발 또는 이용을 특허할 수 있다.

제121조 ① 국가는 농지에 관하여 경자유전(耕者有田)의 원칙이 달성될 수 있도록 노력해야 하며, 농지의 소작제도는 금지된다.

② 농업생산성의 제고와 농지의 합리적인 이용을 위하거

나 불가피한 사정으로 발생하는 농지의 임대차와 위탁경영은 법률로 정하는 바에 따라 인정된다.

제122조 ① 국가는 국민 모두의 생산과 생활의 바탕이 되는 국토의 효율적이고 균형 있는 이용, 개발과 보전을 도모하고, 토지 투기로 인한 경제왜곡과 불평등을 방지하기 위하여 법률이 정하는 바에 의하여 필요한 제한과 의무를 과한다.

② 국가는 토지의 공공성과 합리적 사용을 위하여 필요한 경우에만 법률로써 특별한 제한을 하거나 의무를 부과하여야 한다.

제123조 ① 국가는 식량의 안정적 공급과 생태 보전 등 농어업의 공익적 기능을 바탕으로 농어촌의 지속가능한 발전과 농어민의 삶의 질 향상을 위한 지원 등 필요한 계획을 수립·시행해야 한다.

② 국가는 농수산물의 수급균형과 유통구조의 개선에 노력하여 가격안정을 도모함으로써 농어민의 이익을 보호한다.

③ 국가는 농어민의 자조조직을 육성해야 하며, 그 조직의 자율적 활동과 발전을 보장한다.

제124조 ① 국가는 중소기업과 소상공인을 보호, 육성하고, 협동조합의 육성 등 사회적 경제의 진흥을 위하여 노력해야 한다.

② 국가는 중소기업과 소상공인의 자조조직을 육성해야 하며, 그 조직의 자율적 활동과 발전을 보장한다.

제125조 ① 국가는 안전하고 우수한 품질의 생산품과 용역을 받을 수 있도록 소비자의 권리를 보장해야 하며, 이를 위하여 필요한 정책을 시행해야 한다.

② 국가는 법률로 정하는 바에 따라 소비자운동을 보장한다.

제126조 국가는 호혜적이고 공정한 대외무역을 육성 하며, 이를 규제하고 조정할 수 있다.

제127조 민생이나 국방에 필요하여 법률로 정하는 경우를 제외하고는, 사영기업을 국유 또는 공유로 이전하거나 그 경영을 통제 또는 관리할 수 없다.

제128조 ① 국가는 기초 학문을 장려하고 과학기술을 혁신하며 정보와 인력을 개발하는 데 노력해야 한다.

② 국가는 국가표준제도를 확립한다.

③ 국가는 반지성주의를 배격해야 한다.

제12장 헌법 개정

제129조 ① 헌법 개정의 제안은 국회 재적의원 3분의 1 이상이나 국회의원 선거권자 50분의 1 이상의 찬성으로 한다.

② 대통령의 임기 연장 또는 중임 변경을 위한 헌법 개정은 그 헌법 개정 제안 당시의 대통령에 대해서는 효력이 없다.

제130조 ① 대통령은 제안된 헌법 개정안을 20일 이상 공고해야 한다.

② 국무총리는 제안된 헌법 개정안의 표결을 제헌의회에서 하고자 하는 경우 대통령에게 제헌의회 소집 건의를 할 수 있다.

③ 대통령은 국무총리가 제헌의회 소집 건의를 하면 이를 즉시 소집해야 한다.

④ 제헌의회 의원은 국민이 보통·평등·직접·비밀 선거로

선출하여 구성하되, 그 조직과 운영 기타 필요한 사항은 법률로 정한다.

제131조 ① 제헌의회는 소집 후 180일 이내로 존속 한다.

② 제헌의회가 소집되면 국회는 즉시 해산하며 국회의 모든 기능과 권한은 제헌의회로 이관된다.

③ 제헌의회가 소집되면 내각은 즉시 총사퇴하며 부통령이 국무총리를 대행하며 새로운 내각을 구성 한다.

④ 제헌의회는 재적의원 과반수의 찬성으로 법관을 파면할 수 있다.

⑤ 제헌의회는 대법원, 지방의회, 지방정부, 지방법원의 권한을 제한할 수 있다.

⑥ 제헌의회는 제안된 헌법 개정안이 표결에서 부결되면 헌법 개정안을 수정하여 표결에 다시 부쳐서 의결할 수 있다.

⑦ 제헌의회는 헌법 개정이 확정되면 새로운 헌법에 따라 구성된 국회의 최초 집회일 전일까지 존속하며, 헌법 개정이 국민투표에서 부결되거나 180일 이내로 의결하지 못하면 기존 헌법에 따라 다시 국회를 구성하고 구성된 국회의 최초 집회일 전일까지 존속하며, 그 국회의원의 임기는 기존에 해산된 국회의원 임기의 잔여 임기로 하며, 나머지 헌법상의

기구도 기존 헌법에 따라 다시 구성한다.

제132조 ① 제안된 헌법 개정안은 공고된 날부터 60일 이내에 국회 혹은 제헌의회에서 표결해야 하며, 재적의원 3분의 2 이상의 찬성으로 의결한다.

② 헌법 개정안이 의결한 날부터 30일 이내에 국민 투표에 부쳐 국회의원 선거권자 과반수의 투표와 투표자 과반수의 찬성을 얻어야 한다.

③ 헌법 개정안이 제2항의 찬성을 얻은 경우 헌법 개정은 확정되며, 대통령은 즉시 이를 공포해야 한다.

Ⅲ. 부칙

제1조 ① 이 헌법은 공포한 날부터 시행한다. 다만, 법률의 제정 또는 개정 없이 실현될 수 없는 규정은 그 법률이 시행되는 때부터 시행하되, 늦어도 2026년 8월 15일에는 시행한다.

② 제1항에도 불구하고 이 헌법을 시행하기 위하여 필요한 법률의 제정, 개정, 그 밖에 이 헌법의 시행에 필요한 준비는 이 헌법 시행 전에 할 수 있다.

제2조 ① 이 헌법이 시행되기 전까지는 그에 해당하는 종전의 규정을 적용한다.

② 종전의 헌법에 따라 구성된 지방자치단체, 지방의 회, 지방자치단체의 장은 이 헌법 제9장에 따른 지방의회와 지방행정부의 장이 선출되어 지방정부가 구성될 때까지 이 헌법에서 정하는 지방정부, 지방의회, 지방행정부의 장으로 본다.

③ 종전의 헌법에 따라 구성된 교육청과 산하 조직은 폐지되어 법률에 따라 지방정부에 통합되며 교육감과 교육의원은 직위를 상실한다.

제3조 ① 이 헌법 개정 제안 당시 대통령의 임기는 2026년 8월 14일까지로 하며, 중임할 수 없다.

② 이 헌법 개정 제안 당시의 대통령이 궐위되거나 사고로 인하여 직무를 수행할 수 없을 때에는 국무총리, 법률이 정한 국무위원의 순서로 그 권한을 대행하며 국무위원도 모두 궐위되거나 사고로 인하여 직무를 수행할 수 없을 때에는 차관 중에서 최선임자가 그 권한을 대행한다.

③ 이 헌법이 시행되고 나서 부통령이 선출되기 전에는 국무총리가 그 권한을 대행한다.

④ 이 헌법이 시행되고 나서 국무부총리가 선출되기 전에는 국무위원 중 최선임자가 그 권한을 대행한다.

제4조 ① 이 헌법 개정 제안 당시 국회의원의 임기는 2026년 8월 14일까지로 한다.

② 이 헌법 개정 제안 당시 국회의원 중 비례대표 국회의원이 궐위된 경우 승계자를 기존의 법률에 따른 조항을 따르지 아니하고 각 정당의 대표자에 의해 지명받는 자가 승계한다.

제5조 ① 이 헌법 개정 제안 당시 대법원장, 대법관의 임기는 2026년 8월 14일까지로 하며 대법관 중 최선임자는 이 헌법에 의한 부대법원장으로 간주하며 임기는 2026년 8월 14일까지로 한다.

② 종전의 헌법에 따라 구성된 헌법재판소는 폐지되며 재판관은 직위를 상실한다.

제6조 ① 2022년 6월 1일에 실시하는 선거와 그 재·보궐선거 등으로 선출된 지방의회 의원 및 지방자치단체 의장의 임기는 2028년 8월 14일까지로 한다.

② 2022년 6월 1일에 실시하는 선거와 그 재·보궐선거

등으로 선출된 교육의원은 이 헌법 시행과 동시에 그 직을 상실한다.

제7조 ① 이 헌법 시행 당시의 공무원은 이 헌법에 따라 임명 또는 선출된 것으로 본다.

② 이 헌법 시행 당시의 감사원장, 감사위원은 이 헌법에 따라 감사원장, 감사위원이 임명될 때까지 그 직무를 수행하며, 임기는 이 헌법에 따라 감사원장, 감사위원이 임명된 날의 전날까지로 한다.

③ 이 헌법 시행 당시의 감사원장, 감사위원의 임면권은 국회에 있는 것으로 간주한다.

제8조 ① 군사법원은 이 헌법에 따라 폐지한다.

② 군사법원에 계속 중인 사건은 법원으로 이관된 것으로 본다.

제9조 ① 이 헌법 시행 당시의 법령과 조약은 이 헌법에 위반되지 않는 한 그 효력을 지속한다.

② 종전의 헌법에 따라 유효하게 행해진 처분, 행위 등은 이 헌법에 따른 처분, 행위 등으로 본다.

제10조 이 헌법 시행 당시 이 헌법에 따라 새로 설치되는 기관의 권한에 속하는 직무를 수행하고 있는 기관은 이 헌법에 따라 새로운 기관이 설치될 때까지 존속 하며 그 직무를 수행한다.

제11조 이 헌법 시행 당시의 지방자치에 관한 규정은 이 헌법에 따른 조례, 자치규칙으로 본다.

제12조 이 헌법 시행과 동시에 사형 판결을 받고 집행되지 않은 자는 무기징역으로 감형한다.

제 5 장

대학 학과의 가상적 설치와 그 기능의 이해

Ⅰ. 들어가며

대개 대학에서 학과가 설치되지 않거나 그 형태가 다르더라도 사실상 그 학과가 설치된 경우와 같거나 유사한 효과를 내는 경우가 많다.

특히 4차 산업혁명 시대에는 학문의 변화와 혁신이 상당히 빠르므로 학과 명칭을 그 속도에 맞춰서 자주 바꾸는 것이 사실상 불가능하다.

그러므로 본 장에서는 사실상 그 학과가 있는 것 같은 경우에 대해서 열거하여 학과의 이름을 보는 것이 아니라 그 내면의 본질과 교육에 대해서 깊게 볼 수 있는 올바른 정보와 시각을 제공하고자 한다.

II. 문헌정보학과의 확장적 교육

일반적으로 문헌정보학과라고 하면 기록학을 가르친다고 생각하지만, 한국에서 주로 설치된 문헌정보학과는 언어학을 중심으로 해서 종교학, 인류학, 지리학, 고고학을 포괄적으로 다룬다.

이 과정에서 주로 희귀한 언어도 함께 가르치는 데 주로 스페인어, 포르투갈어, 네덜란드어, 이탈리아어, 폴란드어, 헝가리어, 그리스어, 라틴어, 세르보크로아트어, 스웨덴어, 핀란드어, 덴마크어, 노르웨이어, 르완다어, 암하라어, 힌디어, 베트남어, 몽골어, 마인어, 미얀마어, 필리핀어, 터키어, 크메르어, 아랍어, 이란어를 가르친다.

또한 해당 대학에 일어일문학과가 설치되지 않았을 때 일본어도 본 학과에서 가르치는 것이 일반적이다.

III. 신소재공학부의 확장적 교육

신소재공학부의 경우 다양한 공학적 접근을 통해 응용을 통한 과학적 발견을 추구하는 학부이다. 주로 화학공학, 생물공학, 산업공학, 에너지자원공학, 원자핵공학, 조선해양공학, 항공우주공학, 천문학, 지구시스템과학, 해양학, 대기과학, 지속가능기술학을 포괄적으로 다룸으로써 다양한 대상에 대한 제한 없는 탐구와 탐색을 모색하므로 사실상 위에서 언급한 모든 학과가 설치된 것과 다름없다고 할 수 있다.

IV. 융합생명과학과의 확장적 교육

융합생명공학과는 그 학과의 명칭에서 보듯 상당히 많은 부문의 융합을 추구한다. 특히 농업생명과학을 상당한 탐구 영역으로 삼아서 농업자원경제학, 지역정보학, 작물생명과학, 원예생명공학, 산업인력개발학, 산림

환경학, 환경재료과학, 동물생명공학, 응용생명화학, 응용생물학, 생태조경학, 지역시스템공학, 바이오시스템공학, 바이오소재공학, 간호학, 수의학, 치의학, 한의학, 디지털헬스케어학, 융합데이터과학을 다루어 단순한 생명공학을 넘어 포괄적인 생명과학의 접근을 추구하는 학과이다.

V. 미술학과의 확장적 교육

미술학과는 미술의 전반에 대한 것을 포괄적으로 다룬다. 서양화, 동양화, 조소, 금속공예, 도자공예, 미학, 미술사학을 포괄적으로 바라보면서 입체적인 미술의 이해와 그 본질에 대한 접근을 중심으로 하는 학과이다.

또한 그 과정에서 다양한 접근 방식과 해석이 가능하므로 대학에 따라 설치된 상황과 방식은 다양하지만, 기본적으로 다양한 미술을 다룬다고 해석 가능하다.

Ⅵ. 음악대학이 가상적으로 설치된 형태의 교육

음악대학이 설치되지 않은 학교에서 음악 교육을 하는 경우 글로벌리더학부, 유학동양학과와 같이 사실상의 자율전공학부에 가까운 학과에서 담당하여 그 교육을 하는 경우가 많다.

이 과정에서 성악, 작곡, 관현악, 국악, 무용, 건반악기, 음악사학을 포괄적으로 가르치므로 그 경우 사실상 음악대학이 설치된 것과 다름없다고 할 수 있다. 한편 음악대학이 설치된 대학에서 한국음악과가 없더라도 대게 성악과에서 다루는 편이다.

Ⅶ. 사범대학이 가상적으로 설치된 형태의 교육

사범대학이 설치되거나 일부 과목만 설치된 학교에서도 일반학과 혹은 연계전공을 통해 교직 이수를 하여 사실상 사범대학이 설치된 것과 다름없는 효과를 내는 경우가 많다. 이 과정에서 설사 해당 학과가 없다 하더라도 사실상 교직 이수를 할 수 있도록 하면 사범대학이 있는 것과 같게 바라보아야 한다.

또한 교육학부가 있는 경우 그 해석에 있어 사범대학뿐만 아니라 특수교육과, 유아교육과, 초등교육과가 모두 설치된 것과 같게 보아야 한다.

Ⅷ. 생명시스템학부의 메디컬 교육

생명시스템학부에서는 기본적으로 생명과학 이외에도 의학, 간호학, 뇌인지과학, 한의학, 치의학을 포괄적으로 다룸으로써 사실상 이 학부 출신은 의학전문대학원에 진학하는 경우가 많아 사실상의 의대 예과로 불리는 정도로 의학에 대한 수준이 상당하다고도 할 수 있다.

IX. 기초공학부의 통합공학적 교육

기초공학부가 설치되었을 때 해당 학부에서 건축학, 건축도시시스템공학, 환경공학, 기후에너지시스템공학, 휴먼기계바이오공학, 인공지능학을 포괄적으로 다루며 거의 모든 공학의 대상을 다룸으로써 사실상 통합공학부라고 불려도 손색이 없을 정도이다.

X. 앙트러프러너십 전공의 철학·종교학·인류학 교육

앙트러프러너십 전공이 설치된 학부는 해당 전공에서 사실상 철학, 종교학, 인류학을 가르치므로 해당 학부를 철학과, 종교학과, 인류학과로 볼 수 있다. 이는 해당 전공이 철학과 인류학을 기반으로 한 것이기 때문이다.

한편 비슷한 경우로 교직 과정이 있는 행정학과의 경우 사실상 그 학과가 사회학과이기도 한 것으로 보는 것이 일반적이며 예술학과는 미학과로 보는 것에서 문과 관련 대학 학과의 상황에 대해서도 부수적으로 함께 융합하여 살펴볼 수 있다.

또한 복지행정과의 경우 대게 일반적인 인문대학과 사회과학대학의 기초적 교육을 하며 철학과에서 칠예학, 민속학, 바둑학, 여성학을 가르치기도 한다.

제 6 장

아시아지역학과
경영학의 일치성

Ⅰ. 아시아지역학과 경영학의 일치성

국어사전에서 '지역'이라는 단어를 찾아보면 '전체 사회를 어떤 특징으로 나눈 일정한 공간 영역'이라는 의미를 알 수 있으며 '경영'이라는 단어를 찾아보면 '기초를 닦고 계획을 세워 어떤 일을 해 나감'이라는 의미인 것을 알 수 있다.

그러므로 이미 '지역'이라는 말에는 간접적으로 '경영'이라는 의미를 내포하고 있다고 할 수 있다. 이는 사회를 어떠한 특징으로 나누고자 한다면 그 사회라는 것은 이미 어떠한 경영적 활동의 일환이고 그것이 구분되는 행위 자체가 경영적 행위가 된다. 고로 '아시아지역학'은 사실상 '아시아경영학'이라고 불러도 무방한 것이며 '지역학'이라는 단어는 그 앞에 붙은 단어에 의해서 '경영학'과 같은 의미로 되게 되는 것이다.

우리가 다루는 아시아지역학이 경영학의 도움으로 탄

생하고 일각에서는 경영학의 한 하위 학문으로 보기도 한다는 것은 공공연한 사실이다.

이러한 점에서 아시아지역학과 경영학의 상호 연관성에 대해서 살펴볼 필요가 있으며 이를 과학적 방법에 따라 규명해 보면 학술적 발전에도 도움이 될 것이다.

먼저 학교 현장에 대해서 살펴보면 대게 아시아지역학이 국내에서 별도의 학과로 직접 개설된 예는 없지만 연계전공으로 개설된 경우가 많으며 일반적으로 경영학부 산하의 전공으로 취급받는 경우가 많다.

또한 편입생의 경우 학점은행제나 독학학위제의 경우 경영학을 전공해서 아시아지역학으로 편입하면 사실상 동일한 전공으로 인식되어 그 학위는 없는 것으로 보는 경우도 많은 편이다.

이외에 과목을 살펴보면 대게 '회계학원론', '경영경제수학', '경영과컴퓨터', '경제학원론', '경영학원론', '경영통계학'을 기초 이수과목으로 정하며 이들 과목과 내용이 유사한 과목으로 '위대한지도자들과그들의선택', '문화예술과감각활용', '바이오헬스인문학', '4차산업혁명과서비스경영'이 있으며 이들 과목은 대개 경영학 과목과 내용이 동일하다. 또한 자유로 분류된 과목은 제2 전공 과목과 교양 과목을 동시에 인정하는 과목으로 본다. 그리고 이들 과목은 명칭은 다르지만, 기본적으로 경영학을 다루고 이해시키는 과목이다.

II. 아시아지역학의 대학 교육

아시아지역학을 대학에서 학과로 설치하거나 연계전공(특정 학부의 사실상의 하위 전공과 같다)으로 교육하는 경우 그 방식은 경영학과와 동일하게 하는 것이 학문적 일치성 차원에서 좋으며 실제 현장에서도 그렇게 운영되고 있음을 알 수 있다.

이외에 아시아지역학은 대학에서 경영학사로 수여하고 신학문이라는 명칭을 살려서 아시아지역학사로 수여해도 경영학사로 보는 관행으로 인해 대게 대학에서 아시아지역학 교육은 상경관에서 이루어진다.

또한 졸업 요건에서 대게 경영학과가 TESAT, 매경TEST 취득을 요구하기도 하므로 그러하면 같게 하는 것이 옳으며 필요하면 SMAT 취득도 추가해야 한다.

이외에도 아시아지역학 이수 학생을 경영학과 동문으로 취급하는 것이 상식적이라고 첨언할 수 있다.

죽전과 함께하는
아시아지역학의 경영학적 근원

발행 2024년 03월 19일

지은이 대한아시아지역학연구회
발행처 주식회사 부크크
출판등록 2014.07.15. (제2014-16호)
발행인 한건희
주소 서울특별시 금천구 가산디지털1로 119 SK트윈타워 A동 305호
이메일 info@bookk.co.kr
전화번호 1670-8316
ISBN 979-11-410-7699-3

값 20,000원